教材项目规划小组
Teaching Material Project Planning Group

严美华　姜明宝　王立峰
田小刚　崔邦焱　俞晓敏
赵国成　宋永波　郭　鹏

加拿大方咨询小组
Canadian Consulting Group

Dr. Robert Shanmu Chen
Mr. Zheng Zhining
University of British Columbia

Dr. Helen Wu
University of Toronto

Mr. Wang Renzhong
McGill University

中国国家汉办规划教材

NEW PRACTICAL CHINESE READER

(2nd Edition)

3

综合练习册
WORKBOOK

英文注释
Annotated in English

新实用汉语课本

刘珣 主编

编　者：张　凯　刘社会　陈　曦
　　　　左珊丹　施家炜　刘　珣
英译审订：Jerry Schmidt　余心乐

北京语言大学出版社
BEIJING LANGUAGE AND CULTURE
UNIVERSITY PRESS

（第2版）

© 2011 北京语言大学出版社，社图号 11253

图书在版编目（CIP）数据

新实用汉语课本综合练习册：英文注释．3／刘珣
主编．－－2 版．－－北京：北京语言大学出版社，2011.12（2018.12 重印）
新实用汉语课本
ISBN 978－7－5619－3207－0

Ⅰ．①新…　Ⅱ．①刘…　Ⅲ．①汉语－对外汉语教学－
习题集　Ⅳ．① H195.4

中国版本图书馆 CIP 数据核字（2011）第 252136 号

新实用汉语课本（第 2 版 英文注释）综合练习册 3
XIN SHIYONG HANYU KEBEN (DI 2 BAN　YINGWEN ZHUSHI) ZONGHE LIANXICE 3

责任编辑： 付彦白
英文编辑： 望　震
排版制作： 北京创艺涵文化发展有限公司
责任印制： 周　燚

出版发行： 北京语言大学出版社
社　　址： 北京市海淀区学院路 15 号，100083
网　　址： www.blcup.com
电子信箱： service@blcup.com
电　　话： 编 辑 部　8610-82303647/3592/3395
　　　　　　国内发行　8610-82303650/3591/3648
　　　　　　海外发行　8610-82303365/3080/3668
　　　　　　北语书店　8610-82303653
　　　　　　网购咨询　8610-82303908
印　　刷： 北京中科印刷有限公司

版　　次： 2011 年 12 月第 2 版　　**印　　次：** 2018 年 12 月第 9 次印刷
开　　本： 889 毫米 × 1194 毫米　1/16　　**印　　张：** 11.75
字　　数： 159 千字
　　　　　　04400

PRINTED IN CHINA

CONTENTS 目录

入乡随俗
When in Rome, do as the Romans do.

听说练习 Listening and Speaking Exercises

1 发音练习。
Pronunciation drills.

Read the following words or phrases aloud, paying special attention to the pronunciation of "z, zh, c, ch, s, sh, -n, -ng" and the neutral tone.

z ——最热闹　送到嘴里　有朋自远方来，不亦乐乎

zh ——正常的看法　舔手指　这样的照相机

c ——参观餐厅　参加聚会　对西餐感兴趣

ch ——公共场所　习惯用刀叉　老茶馆　坐出租车

s ——入乡随俗　四川寺庙　苏州丝绸

sh ——说话的声音　一壶水　上海的食物

-n ——来一些点心　演奏的声音　买一斤香蕉　去银行换钱
　　　身体不错

-ng ——敬香茶　请安静　干净的房间　自行车　汉语水平很高
　　　圣诞节快乐

Neutral tone——筷子　刀子　叉子　盘子　和尚　房子　本子
　　　　　　　桌子　小燕子

2 听问题，根据课文内容圈出正确的答案。
Listen to each question and circle the correct answer according to the texts.

① A. 陆雨平　　　B. 马大为　　　C. 服务员　　　D. 林娜

② A. 公园　　　B. 老茶馆✓　　　C. 咖啡馆　　　D. 新茶馆✓

where did they go after

③ A. 公园   B. 书店   C. 咖啡馆   D. 新茶馆

④ A. 刀子   B. 盘子   C. 叉子   D. 筷子

3 听对话，并判断正误。

Listen to the following dialogue and decide whether the statements are true (T) or false (F).

① 这家饭馆现在很热闹。   (F)

② 现在是早上九点。   (F)

③ 中国人习惯早点儿吃晚饭。   (T)

④ 晚上从六点到八点来这儿吃饭的人最少。   (F)

4 听句子，并填空。

Listen and fill in the blanks.

① 西方人 __把__ 食物放在自己的盘子里。

② 大家一边喝茶，__一边__ 聊天儿。

③ 对 __我们__ 来说，这很正常。

④ 他们常常到别的地方去，__比如__ 去咖啡馆。

⑤ 咱们到那个公园去 __散散步__ 。

5 听句子，写拼音。

Listen and write the sentences in *pinyin*.

① _____

② _____

③ _____

④ _____

⑤ _____

6 听句子，写汉字。

Listen and write the characters.

① 来一壶茶。

② 您几位请慢用。

③ 从小到大

④ 聊一会儿天

⑤ 我看应该入乡随俗。

7 角色扮演。
Role-play.

Listen to and imitate the dialogue together with your partner. Try to get the meaning of the dialogue with the help of your friends, teachers or dictionaries.

8 文化体验。
Culture experience.

　　你会沏茶吗？问问你的中国朋友或老师应该怎样沏茶。自己试着沏一次茶，这跟煮咖啡可不一样啊！

9 阅读下列北京地区电视节目收视排行榜，和你的语伴做问答练习。
Read the following audience rating of TV programs in the Beijing area and do question-and-answer exercises with your partner.

北京地区近期电视节目收视排行榜		
固定栏目收视前五名一览表		
节目名称	频道	收视率（%）
新闻联播	CCTV-1	16.69
天气预报（19：31）	BTV-1	13.94
治安播报	BTV-3	8.04
大家说法	BTV-3	7.42
北京新闻	BTV-1	7.13

 读写练习　Reading and Writing Exercises

1 按正确的笔顺描汉字，并在后边的空格里写汉字。

Trace the characters following the correct stroke order. Then copy the characters in the blanks.

乡	乚 乡 乡	乡	乡					
叉	丁 又 叉	叉	叉					
干	一 二 干	干	干					
更	一 厂 厂 百 百 更 更	更	更					

2 在空格里写汉字，注意汉字的部件。

Write the characters in the blanks, paying attention to the character components.

suí	阝＋有＋辶	随						
sú	亻＋谷	俗						
wù	夂＋力	务						
hú	士＋冖＋业	壶						
shāo	禾＋肖	稍						
chá	艹＋人＋木	茶						
jiě	角＋刀＋牛	解						
nào	门＋市	闹						
zuì	曰＋耳＋又	最						
wǔ	𠂉＋卌＋一＋夕＋牛	舞						
bān	扌＋舟＋殳	搬						

jìng	青 + 争	静
kā	口 + 力 + 口	咖
fēi	口 + 非	啡
kuài	竹 + 快	筷
shí	人 + 良	食
qiē	士 + 刀	切
zuǐ	口 + 此 + 角	嘴
zhǐ	扌 + 旨	指
tiǎn	舌 + 忝	舔
jìng	冫 + 争	净
cān	歺 + 又 + 食	餐

3 为下列词语标注拼音，并译成英文。

Mark *pinyin* for the following words and phrases and then translate them into English.

（1）了解　买了一本书

_____

_____

（2）公共场所　下了一场雨

_____

_____

（3）一边喝茶一边看书　桌子的一边

_____

_____

（4）切蛋糕　一切顺利

_____

_____

（5）帮助　休息　考试　聚会　管理　检查　访问　翻译　声音　语言

_____

_____

（6）东西　多少　没有　买卖　国家　长短　大小

_____

_____

（7）优美　安静　刀叉　学习　锻炼　教练　种类

_____

_____

4 为下列每组词语标注拼音，并译成英文。猜一猜没学过的词语的意思，并通过朋友、老师或词典来确认。

Mark *pinyin* for the following groups of words and phrases and then translate them into English. Try to guess the meanings of the words and phrases you haven't learned and then confirm them with the help of your friends, teachers or dictionaries.

（1）茶馆　茶壶　茶叶　茶几

_____

_____

（2）风俗　风情　风味　风景

_____

_____

（3）正常　正确　正反　正月

_____

_____

（4）干净　干杯　干脆　干部

_____

（5）香茶　烧香　香港　睡得香

_____

_____

（6）发现　发明　发展　发达　发烧

_____

_____

5 根据所给拼音，把第一行和第二行的汉字连线组成词。

Match each of the following characters in the first line with that in the second to make a word according to the *pinyin* provided. Draw a line to connect the two.

fúwù	cháhú	liáotiān	rènao	liǎojiě	fāxiàn
shēngyīn	sànbù	ānjìng	chǎngsuǒ	zhèngcháng	gānjìng

了　聊　茶　服　热　发　声　安　干　正　场　散

务　闹　天　解　音　壶　现　常　所　静　步　净

6 选用正确的汉字填空。

Fill in the blanks with the correct characters.

（1）他很 __快__ 乐。

我用 __筷__ 子吃饭。

来一 __块__ 点心。

（块　决　快　筷）

（2）洗得很干 __净__ 。

请大家安 __静__ 。

（静　挣　净）

（3）舞台上正在 __唱__ 戏。

他们在咖啡馆 __喝__ 茶。

（喝　唱　吃）

（4）吃西餐，他用 __刀__ 叉。

他工作很努 __力__ 。

（力　方　刀）

（5）您　几　位来点　儿　什么？

他们四位是日本人。我们　九　位是中国人。

（儿　几　九）

7 根据所给拼音，把括号里的汉字组成句子。

Organize the characters in the parentheses into Chinese sentences according to the *pinyin* given.

（1）Jīntiān wǒ bǎ nǐmen dàidào zhèr lái.

（我把今天这儿带到你们来）

_____

（2）Xīfāngrén bǎ shíwù fàngzài zìjǐ de pánzi li.

（把食物西方人自己的放在盘子里）

_____

（3）Tāmen bǎ dà kuài de shíwù qiēchéng xiǎo kuài.

（切成把大块他们食物的小块）

_____

（4）Nín bǎ "rù xiāng suí sú" fānyì chéng Yīngyǔ.

（翻译您把英语"入乡随俗"成）

_____

（5）Yǒude rén hái bǎ wǔtái bānjìn cháguǎn lái le.

（还有的人茶馆搬进把舞台来了）

_____

（6）Zánmen dào qiánbian nàge gōngyuán sànsan bù.

（前边咱们到公园那个散散步）

_____

（7）Duì wǒmen láishuō, zhè hěn zhèngcháng.

（对来说我们正常这很）

_____

（8）Fúwùyuán de shēngyīn bǐ shéi dōu dà.

（声音比服务员都谁大的）

_____

8 根据拼音填汉字。

Fill in the blanks with the correct characters according to the *pinyin*.

陆雨平把外国朋友带到老茶馆，去了解那儿的风sú **俗**。外国朋友觉得茶馆人真多、真热nao **闹**。林娜觉得中国人在公共 chǎng **场** 所说话的声音太大，她有点儿不习惯。他们决定去人少的公园一边sàn **散** 步，一边liáo **聊** 天儿。他们谈到不同国家的人有不同的风俗，不了jiě **解** 外国文化的人会觉得很不习惯。比如说，中国人吃饭用kuài **筷** 子，西方人吃饭用刀叉。西方人把食物放在自己的盘子里，把大块切成小块，再把它送到嘴里。如果手指上有点儿食物，就tiǎn **舔** 手指，有的中国人看了也很不习guàn **惯**。他们认为应该"入乡随俗"：中国人在国外的公共场所说话的声音要小一点儿，外国人到中国人家里吃饭也不一定要舔手指。

9 猜字谜。

Character riddle.

生在山中，一色相同。

放在水中，有绿有红。

（打一种饮料。The key is a kind of drink.）

10 用合适的动词填空。

Fill in the blanks with proper verbs.

（1）**来** 一盘点心。

（2）您几位请慢 **用**。

（3）他把大块 **切** 成小块，再把它 **送** 到嘴里。

（4）把手指上的食物 **舔** 干净。

（5）我 **看** 应该"入乡随俗"。

11 选择正确的答案。
Choose the correct answers.

（1）我们＿＿＿＿＿＿说声音大，这位服务员的声音更大。

　　A. 再　　　　　B. 已经　　　　　Ⓒ正在　　　　　Ⓓ没

（2）到茶馆来的人＿＿＿＿＿＿喜欢热闹。

　　A. 能　　　　B. 还　　　　C. 会　　　　Ⓓ都

（3）有些事儿他们＿＿＿＿＿＿觉得很不习惯。

　　A. 不　　　　Ⓑ会　　　　C. 从来　　　　D. 太

（4）我＿＿＿＿＿是"入乡随俗"。

　　Ⓐ就　　　　Ⓑ没有　　　　Ⓒ想　　　　D. 还要

（5）我爸爸妈妈他们＿＿＿＿＿＿是这样。

　　A. 从　　　　B. 该　　　　Ⓒ也都　　　　Ⓓ会

12 连接Ⅰ和Ⅱ两部分的词语，组成句子。
Make sentences by matching the words and phrases in Column Ⅰ with those in Column Ⅱ. Draw a line to connect each pair.

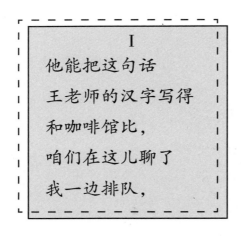

Ⅰ
他能把这句话
王老师的汉字写得
和咖啡馆比，
咱们在这儿聊了
我一边排队，

Ⅱ
最漂亮。
一边听音乐。
很久的天儿。
翻译成汉语。
茶馆更热闹。

13 用所给词语组成句子。
Make sentences with the words and phrases given.

For example: 说　好　他　得　汉语　很 → 他汉语说得很好。

（1）国家　发现　别的　有　风俗或习惯　我　不同的

　　→ ＿＿＿＿＿＿＿＿＿＿＿＿＿＿＿＿＿＿＿＿＿＿＿＿＿

（2）切成 她 蛋糕 小块 把

→ _____

（3）"入乡随俗" 国外 我们 应该 在

→ _____

（4）刚才 游 她 泳 了 一会儿

→ _____

（5）在 他 中 他们 高 五个人 最

→ _____

14 用所给词语造句。

Make sentences with the words and phrases given.

（1）把……带到…… : _____

（2）把……放在…… : _____

（3）把……留在…… : _____

（4）把……看成…… : _____

（5）把……翻译成…… : _____

15 把下列句子改写为带补语的表达。

Change the following sentences into statements with complements.

For example：她每天聊天儿。→ 她每天聊一个小时天儿。

（1）她喜欢夏天游泳。→ _____

（2）很多中国人习惯在午饭后睡觉。→ _____

（3）我每次去银行都得排队。→ _____

（4）我刚才和朋友在公园散步。→ _____

（5）上课前老师说了话。→ _____

16 用上括号里的词语，把下列句子译成中文。

Translate the following sentences into Chinese with the words and phrases given in the parentheses.

（1）I drive to the bank.（把，到）

我把车开到银行。

（2）He speaks Chinese better than I.（更）

他说的汉语比我更好。

（3）Her favorite music is Chinese folk music.（最）

她最喜欢的音乐是中国民乐。

（4）My teacher helps me.（帮了……忙）

我的老师帮了我的忙。

（5）We chat while walking.（一边……，一边……）

我们一边聊天，一边散步。

17 判断下列句子的语法是否正确。

Decide whether the following statements are grammatically correct (✓) or wrong (✕).

（1）他翻译这个词成汉语。　　　　　　　　（　　）

（2）服务员的声音比我们最大。　　　　　　（　　）

（3）图书馆就是最安静的地方。　　　　　　（　　）

（4）我想在这儿聊天儿一会儿。　　　　　　（　　）

（5）这个女孩一边年轻，一边漂亮。　　　　（　　）

18 根据本课"阅读与复述"中的短文内容判断正误。

Decide whether the following statements are true (T) or false (F) according to the passage in "Reading Comprehension and Paraphrasing" in this lesson.

（1）苏东坡特别喜欢去茶馆。　　　　　　　（　　）

（2）一开始老和尚不知道他就是大文学家苏东坡。（　　）

（3）苏东坡不但是一位文学家，而且还是一位画家。（　　）

（4）老和尚对苏东坡从一开始就很热情。　　（　　）

（5）老和尚念完苏东坡写的十二个字很高兴。（　　）

19 回答问题。

Answer the following questions.

（1）你喜欢去国外旅行吗？

我喜欢去国外旅行，因为我可以尝试不同的食物。

（2）你去过哪些国家（或城市）？

我去过中国。我在北京爬上长城去了，山顶十分优美！

（3）你发现那些国家（或城市）有特别的风俗习惯吗？是什么？

我发现中国有特别的风俗习惯。中国人用筷子吃饭。

（4）你觉得这些风俗习惯怎么样？你习惯吗？

我在中国的时候，不习惯用筷子，但是说实在的，我现在越来越习惯用筷子。

（5）对他们的风俗习惯，你认为自己应该怎么做？

我看该"入乡随俗"，用筷子吃中餐。

20 读短文，并完成下列练习。

Read the passages and do the following exercises.

（1）Fill in each blank with the correct word according to the *pinyin*.

怎样沏茶？把茶叶放 zài ___在___ 茶壶里，用热水洗一下，再用洗茶叶的热水把茶杯洗 gānjìng ___干净___。再往茶壶里加80度到90度的热水，让它沏几分钟再喝。这样沏出来的茶很香，也很好喝。

生词　**New Words**

1	沏	qī	V	to infuse (with boiling water)
2	茶叶	cháyè	N	tea leaves, tea

（2）Answer the questions according to the passage.

中国古代有位著名的书法家叫王羲之。他的儿子王献之小时候跟着他学书法。开始的时候，父亲每天让王献之练习写"大"字。写了很久，王献之觉得自己已经写得很好了，就把自己写的"大"字拿给父亲看。父亲没有说话，只是在"大"字下边加了一点，成了"太"字，然后说："去给你母亲看吧。"王献之拿着"太"字问母亲：这个字写得好不好？母亲说："这下边的一点跟你父亲写得一样好。"王献之听了，脸红了。从此以后，他认真练习，后来成为著名的书法家。

问题　Questions

① 王羲之和王献之是什么关系？

王羲之是王献之的爸爸。

② 王羲之为什么很有名？

他是一位书法家。

③ 开始时，王羲之每天让儿子做什么？

他让儿子练习写"大"字。

④ 王献之觉得自己写的"大"字怎么样？

他觉得自己写的"大"字写得很好。

⑤ 母亲认为王献之写"大"字写得好吗？

她没有说王献之写"大"字写得好不好，只说下边的一点跟王羲之写得一样好。

⑥ 王献之为什么会脸红？

因为母亲只说王羲之写的点写得好，没说王献之写的"大"字写得好。

（3）Answer the questions according to the passage.

　　一天，我跟一位法国朋友在茶馆喝茶，他看见服务员给一个中国人倒茶时，那个中国人用手指敲桌子。他觉得这样很不礼貌。我告诉他，那位客人把手指弯着，轻轻地敲着桌子是表示感谢。

　　传说，清朝乾隆皇帝游江南的时候，很喜欢喝西湖龙井茶。每次喝茶时，他都要让跟随他的人喝一杯龙井茶。因为乾隆他们是化装成老百姓的，跟随他的人不能像在皇宫那样跪拜感谢皇帝，他们就把右手手指弯曲成跪拜的样子，在桌上轻轻地敲着，表示感谢皇上。后来这种表示感谢的方式流传到了民间。现在在中国，在饭桌上，当别人给自己倒茶倒酒时，人们也常用这种方式表示感谢。

　　这位法国朋友听了，说："哦！我懂了。这不是很不礼貌，而是很有礼貌。"

生词　New Words

①	礼貌	lǐmào	A	polite
②	弯	wān	V	bend
③	乾隆	Qiánlóng	PN	Qianlong, an emperor in the Qing Dynasty
④	化装	huàzhuāng	V	disguise oneself
⑤	跪拜	guìbài	V	worship on bent knees, kowtow

问题　Questions

① 那位客人弯着手指轻轻敲桌子表示什么意思？

表示感谢

② 这种表示感谢的方式是从什么时候开始的？

这种表示感谢的方式是从清朝的时候开始的。

21 根据本课课文完成林娜的日记。

Complete Lin Na's diary according to the texts in this lesson.

6月8日　晴

　　今天朋友把我带到了一家茶馆。中国人喜欢喝茶就和外国人喜欢喝咖啡一样。可是我发现，茶馆和咖啡馆很不一样。咖啡馆很安静，人们说话的声音很小。但是来茶馆的人都喜欢热闹，他们说话的声音很大，服务员的声音更大……

22 用下列词语来描述一种与自己国家不同的风俗习惯（至少用8个）。
Describe one custom different from yours with at least 8 words and phrases from the following list.

了解　风俗　习惯　发现　比如　看法　正常　食物　把……　更

最　入乡随俗　对我们来说　我看　应该

23 阅读下列材料，你能说出这是什么吗？你能从材料中找出哪些信息？
Read the table below. Can you tell what it is? What information can you find in the material?

世界部分城市天气预报		
（5月9日22：00到5月10日22：00）		
城市	天气	温度（°C）
北京	晴	16/26
东京	中雨	15/25
曼谷	阵雨	26/33
悉尼	阵雨	9/17
卡拉奇	晴	26/34
开罗	晴	15/27
莫斯科	阴	10/21
法兰克福	阴	13/28
巴黎	阵雨	11/24
伦敦	阴	13/22
柏林	阴	12/18
纽约	晴	11/18

礼轻情意重

A small gift means a great deal.

听说练习 Listening and Speaking Exercises

1 发音练习。
Pronunciation drills.

Read the following words or phrases aloud, paying special attention to the pronunciation of "b, p, j, x, sh, zh".

b——准备　月饼　毛笔　文房四宝　干杯　不过　表示　别人
　　一般

p——两瓶啤酒　纪念品　名牌旗袍　那么漂亮　排队买票
　　去派出所

j——葡萄酒　毛巾　中秋节　惊喜　人间　团聚在一起　借书证

x——希望　小意思　感谢　姓名　性别　担心你们不喜欢　仙女

sh——水果　赏月　书法水平　收到明信片　表示　神话故事

zh——准备礼物　主角之一　尊重老师　中餐　重要的节日

2
2~7

2 听问题，根据课文内容圈出正确的答案。
Listen to each question and circle the correct answer according to the texts.

① A. 中秋节　　　Ⓑ 春节

② A. 丝绸围巾　　Ⓑ.名牌毛笔　　C. 音乐光盘　　D. 中秋月饼

③ Ⓐ.丝绸围巾　　B. 加拿大糖　　C. 音乐光盘　　D. 中秋月饼

④ A. 加拿大糖　　B. 名牌毛笔　　Ⓒ.音乐光盘　　D. 中秋月饼

⑤ A. 丝绸围巾　　B. 中秋月饼　　C. 名牌毛笔　　Ⓓ.加拿大糖

3 听对话，并判断正误。
Listen to the following dialogue and decide whether the statements are true (T) or false (F).

① 春节他们没有见面。　　　　　　　　　　　　　　(F)

② 朋友送的礼物她都喜欢。　　　　　　　　　　　　(T)

③ 有的人马上把礼物打开看，是尊重送礼物的人。　　(T)

④ 有的人不马上把礼物打开看，也是尊重送礼物的人。(T)

⑤ 中国人收到礼物跟外国人一样，马上打开看。　　　(F)

4 听句子，并填空。
Listen and fill in the blanks.

① 中秋节 没有 春节热闹。

② 我们 有 一些礼物送给你们。

③ 这 哪儿 是小纪念品?

④ 加拿大糖 不是 很有特色吗?

⑤ 朋友送的礼物 怎么 会不喜欢呢?

5 听句子，写拼音。
Listen and write the sentences in *pinyin*.

①

②

③

④

⑤

6 听句子，写汉字。
Listen and write the characters.

① 中秋节和春节

② 一点儿小意思

③ 是这样

④ 不客气

⑤ 你说到哪儿去了？

7 角色扮演。
Role-play.

Listen to and imitate the dialogue together with your partner. Try to get the meaning of the dialogue with the help of your friends, teachers or dictionaries.

8 文化体验。
Culture experience.

你会唱中文歌吗？向你的中国朋友学一首。先把歌词写下来，学习它的意思，再给你的朋友讲一讲这首歌的意思。

读写练习 Reading and Writing Exercises

1 按正确的笔顺描汉字，并在后边的空格里写汉字。
Trace the characters following the correct stroke order. Then copy the characters in the blanks.

之	丶 丷 之	之	之							
韦	一 二 弓 韦	韦	韦							

2 在空格里写汉字，注意汉字的部件。
Write the characters in the blanks, paying attention to the character components.

zhòng	千 + 里	重					
zhǔn	冫 + 隹	准					
bèi	夂 + 田	备					

bǐng	饣 + 并	饼								
pí	口 + 卑	啤								
shǎng	龸 + 口 + 贝	赏								
jì	纟 + 己	纪								
niàn	今 + 心	念								
pǐn	口 + 口 + 口	品								
xī	乂 + 布	希								
wàng	亡 + 月 + 王	望								
bǐ	竹 + 毛	笔								
bǎo	宀 + 玉	宝								
pái	片 + 卑	牌								
wéi	囗 + 韦	围								
dài	土 + 田 + 共 + 戈	戴								
bēi	木 + 不	杯								
chēng	禾 + 尔	称								
zàn	先 + 先 + 贝	赞								
shì	二 + 小	示								
zūn	丷 + 酉 + 寸	尊								
jīng	忄 + 京	惊								

bān	舟＋殳	般							
yì	讠＋宜	谊							
dān	扌＋旦	担							
táng	米＋广＋彐＋口	糖							

3 为下列词语标注拼音，并译成英文。

Mark *pinyin* for the following words and phrases and then translate them into English.

（1）关上门　戴上围巾　写上名字　带上护照

_____

_____

（2）打开礼物　打开书　切开苹果　搬开桌子

_____

_____

（3）茶馆　爱情　蛋糕　茶杯　西餐　电脑　火锅　汽车　毛笔
　　 电视　厨房　客厅　卧室　宿舍　花园　剧院　礼物　美术
　　 商店　特色　字画　小孩　医生　舞台　围巾　春天　今年
　　 中秋　外国　月饼　水果　名片　油画　音乐　汉语

_____

_____

4 为下列每组词语标注拼音，并译成英文。猜一猜没学过的词语的意思，并通过朋友、老师或词典来确认。

Mark *pinyin* for the following groups of words and phrases and then translate them into English. Try to guess the meanings of the words and phrases you haven't learned and then confirm them with the help of your friends, teachers or dictionaries.

（1）中餐　西餐　早餐　自助餐

_____

_____

（2）啤酒 葡萄酒 喝酒 酒店

_____

_____

（3）月亮 月饼 五月 正月

_____

_____

（4）尊重 轻重 重量 重要

_____

_____

_____

（5）担心 关心 开心 小心 中心

_____

_____

_____

（6）特色 特长 特别 特殊

_____

_____

_____

5 根据所给拼音，把第一行和第二行的汉字连线组成词。

Match each of the following characters in the first line with that in the second to make a word according to the *pinyin* provided. Draw a line to connect the two.

zhǔnbèi   yuèbing   píjiǔ   míngpái   máobǐ   jìniàn

zūnzhòng   chēngzàn   wéijīn   xīwàng   jīngxǐ   yǒuyì

月　准　名　啤　纪　毛　称　尊　希　围　友　惊

牌　念　饼　备　笔　酒　望　巾　赞　喜　重　谊

6 选用正确的汉字填空。

Fill in the blanks with the correct characters.

（1）这是名 _牌_ 毛笔。 （啤 牌）

（2）我们中秋节吃月 _饼_ 。 （饼 拼）

（3）礼轻 _情_ 意重。 （清 情）

（4）她___戴___一条丝绸围巾。　　（带　戴）

（5）他们帮我___搬___书。　　　　（搬　般）

（6）我们表___示___感谢。　　　　（是　示）

7 根据所给拼音，把括号里的汉字组成句子。

Organize the characters in the parentheses into Chinese sentences according to the *pinyin* given.

（1）Zhōngqiū Jié yǒu Chūn Jié nàme rènao ma?

（有春节中秋节热闹吗那么）

_____

（2）Zhōngqiū Jié méiyǒu Chūn Jié nàme rènao.

（没有春节那么中秋节热闹）

_____

（3）Wǒmen yǒu yìxiē lǐwù sònggěi nǐmen.

（有你们一些我们送给礼物）

_____

（4）Zhè nǎr shì xiǎo jìniànpǐn?

（这纪念品是小哪儿）

_____

（5）Jiānádà táng bú shì hěn yǒu tèsè ma?

（糖是加拿大不特色很有吗）

_____

（6）Péngyou sòng de lǐwù zěnme huì bù xǐhuan ne?

（送朋友的怎么礼物会不呢喜欢）

_____

（7）Lín Nà dàishang zhè tiáo piàoliang de wéijīn gèng piàoliang le.

（林娜更围巾这条漂亮的戴上漂亮了）

_____

（8）Wǒmen mǎshàng bǎ lǐwù dǎkāi.

（马上我们把打开礼物）

8 根据拼音填汉字。

Fill in the blanks with the correct characters according to the *pinyin*.

外国朋友第一次跟中国朋友在一起过中秋节。他们一起吃月饼，一起 shǎng＿＿赏＿＿月，还互相送些小礼物。宋华知道丁力波喜欢中国书法，就送了他一支名 pái＿＿牌＿＿毛笔，希望他字写得更好。王小云送给漂亮的林娜一条丝绸 wéi＿＿围＿＿巾，希望她更漂亮。陆雨平知道马大为喜欢中国音乐，就送了他一套音乐光 pán＿＿盘＿＿。外国朋友也有一些礼物送给他们，不过他们没有马上打开看。外国朋友很奇怪，他们认为把礼物打开看，chēng＿＿称＿＿赞礼物，表示感谢，这是 zūn＿＿尊＿＿重送礼物的人。当然，也希望自己能得到一种 jīng＿＿惊＿＿喜。但是中国朋友收到朋友的礼物后，一般不马上打开看，他们觉得这也是尊重送礼物的人。因为送什么礼物不重要。礼 qīng＿＿轻＿＿情意重，重要的是友 yì＿＿谊＿＿。

9 猜字谜。

Character riddle.

有面没有口，有脚没有手。

虽有四条腿，自己不会走。

（打一种家具　The key is a piece of furniture.）

Key to the riddle in Lesson 27：茶

10 用合适的动词填空。

Fill in the blanks with proper verbs.

（1）中秋节没＿＿有＿＿春节那么热闹。

（2）林娜＿＿戴＿＿上这条漂亮的围巾就更漂亮了。

（3）我们收到礼物，就马上把它＿＿打＿＿开。

（4）你＿＿说＿＿到哪儿去了。

（5）我有很多练习要＿＿做＿＿。

11 选择正确的答案。

Choose the correct answers.

（1）我_____有更好的礼物送给大为。

Ⓐ没 　　B. 已经 　　C. 都 　　D. 也

（2）你们拿到礼物以后，_____看看外边，没有打开。

A. 能 　　Ⓑ只 　　C. 也 　　D. 都

（3）你们为什么要_____打开看呢？

A. 不 　　B. 没有 　　Ⓒ马上 　　D. 还要

（4）你们的习惯我_____不懂了。

A. 也 　　B. 会 　　C. 应该 　　Ⓓ就

（5）我们_____有点儿担心呢。

A. 从 　　Ⓑ还 　　C. 就 　　D. 会

12 连接Ⅰ和Ⅱ两部分的词语，组成句子。

Make sentences by matching the words and phrases in Column I with those in Column II. Draw a line to connect each pair.

Ⅰ	Ⅱ
我有个问题	送给我们。
我没有司机	国内主要的大学之一。
朋友有纪念品	办借书证呢。
这所大学是	想问问你。
我还得去图书馆	开车开得好。

13 用所给词语组成句子。

Make sentences with the words and phrases given.

For example: 说 好 他 得 汉语 很 → 他汉语说得很好。

（1）电脑 没有 名牌电脑 那种 不一定 好

→ _____

（2）不知道　喜欢　喝茶　喜欢　你　不

→ _____

（3）你　吗　那么　你爸爸　高　有

→ _____

（4）送的　朋友　礼物　呢　喜欢　怎么　不　会

→ _____

（5）马上　收到　就　我们　把　打开　它　礼物

→ _____

14 用所给词语造句。
Make sentences with the words and phrases given.

（1）……有没有……这么…… : _____

（2）……没有……那么…… : _____

（3）……不是……吗? : _____

（4）……怎么会…… : _____

（5）……有……做…… : _____

15 把下列句子改写为带补语"上"或"开"的表达。
Change the following sentences into sentences with the complement "上" or "开".

For example：进了教室请关门。→ 进了教室请关上门。

（1）请在表格内写你的名字。→ 请在表格内写上你的名字。

（2）出国旅行要带护照。→ 出国旅行要带上护照。

（3）让我们来切生日蛋糕。→ 让我们来切开生日蛋糕。

（4）天冷了，出门前要穿厚衣服。→ 天冷了，出门前要穿上厚衣服。

（5）收到礼物后，要不要马上拆呢? → 收到礼物后，要不要马上拆开呢?

16 用上括号里的词语，把下列句子译成中文。

Translate the following sentences into Chinese with the words and phrases given in the parentheses.

（1）Is Canadian candy better than American candy? (有……吗?)

加拿大糖有美国糖好吗?

（2）I could not run so fast as you. (没有)

我跑步没有你快。

（3）How could he love music so much? (怎么)

他怎么会很喜欢音乐呢?

（4）I have a lot of work to do on Sundays. (有)

我星期天有很多工作要做。

（5）Could you please fill in the blanks with your name? (写上)

你能用你的名字填上职业吗?

17 判断下列句子的语法是否正确。

Decide whether the following statements are grammatically correct (√) or wrong (×).

（1）妹妹已经有姐姐那么高了。 　　 (　　)

（2）她有我那么吃东西吗? 　　 (　　)

（3）我刚才有去图书馆。 　　 (　　)

（4）我们没有更好的东西送给你礼物。 　　 (　　)

（5）外国人喜欢马上打礼物。 　　 (　　)

18 根据本课"阅读与复述"中的短文内容判断正误。

Decide whether the following statements are true (T) or false (F) according to the passage in "Reading Comprehension and Paraphrasing" in this lesson.

（1）中秋节赏月是从宋朝开始的。 　　 (　　)

（2）嫦娥吃了丈夫交给她的药，就飞到月宫里去了。 (　　)

（3）中秋节是每年的农历八月十五。 　　 (　　)

（4）唐明皇觉得月宫没有皇宫那么安静，那么高大。 (　　)

（5）中秋节这一天，一家人要团聚在一起。 　　 (　　)

19 回答问题。

Answer the following questions.

（1）你过过外国的节日吗？

（2）你收到过外国朋友的礼物吗？是些什么礼物？

（3）你收到礼物的时候说什么？

（4）你送过外国朋友礼物吗？

（5）你送别人礼物的时候说什么？

20 读短文，并完成下列练习。

Read the passages and do the following exercises.

（1）Translate the following words according to the passage.

中秋节的传说很多。这里让我们看看"玉兔"的故事。

传说，狐狸（húli）、兔子（tùzi）和猴子（hóuzi）在一起修炼。天帝想试一下，看它们谁最热情、最真诚（zhēnchéng）。他化装成一个老人，对他们三个说："我是从很远的地方来的，已经有两天没有吃东西了，现在又累又饿。你们能不能给我一点儿吃的？"

他们三个都说："可以。"

很快，狐狸送来了一条鱼，它说："你吃吧，老头儿（lǎotóur）。"

接着，猴子带来了几个水果，走到老人面前说："给你，老头子。"

过了很久，兔子才慢慢地走来。它说："老爷爷，我个子小，又不能上树。跑了很多地方，没有抓到动物，也没有找到水果，真是对不起。你如果非常饿的话，就把我当做食物吃了吧。"说完它就跳进火里。天帝觉得兔子很真诚，非常感动。他连忙把兔子从火里拉出来，并把它带到了月宫。它就是月宫里的玉兔。

生词　New Words

1. 传说　chuánshuō　　N　legend, tradition
2. 修炼　xiūliàn　　　V　practise austerities, practise asceticism

① 狐狸 ＿＿＿＿＿＿＿＿＿＿＿＿＿＿＿＿＿＿＿

② 兔子 ＿＿＿＿＿＿＿＿＿＿＿＿＿＿＿＿＿＿＿

③ 猴子 ＿＿＿＿＿＿＿＿＿＿＿＿＿＿＿＿＿＿＿

④ 真诚 ＿＿＿＿＿＿＿＿＿＿＿＿＿＿＿＿＿＿＿

⑤ 老头儿 ＿＿＿＿＿＿＿＿＿＿＿＿＿＿＿＿＿

（2）Complete the following statements according to the passage.

　　中秋节吃"月饼"的风俗已经有很久的历史了。不过，"月饼"这个名称是从清代乾隆时候才开始有的。传说，乾隆皇帝游山玩水到了杭州，那天正是中秋节。他跟杭州的读书人在西湖边赏月。乾隆皇帝说："好月，好饼，月亮圆，月饼甜，多么美好的中秋佳节！"从此，皇宫里就把中秋节吃的甜饼叫做"月饼"。后来，这个名称流传到全国，又一直流传到现在。

① 月饼是＿＿＿＿＿＿＿＿＿＿吃的食品。

② 月饼这个名称是从＿＿＿＿＿＿＿＿＿开始有的。

③ 月饼这个名称是＿＿＿＿＿＿＿＿＿最先说的。

（3）Answer the questions according to the passage.

　　毛笔是文房四宝之一。

　　"笔"是"筆"的简化字。在中国古代汉字里，"筆"字像用手握笔写字的样子。中国人用毛笔写字的历史已经有<u>两千多年了</u>。传说，毛笔是<u>蒙恬</u>发明的。他是秦始皇的一位大将军，要常给秦始皇写报告。没有毛笔以前，他得用<u>刀</u>一个一个地在木片上刻字，写个报告很不容易。后来，他把羊毛捆在一根小棍子头上，蘸上墨水写字，很好用。这就是最早的毛笔。简化的"笔"字，可以理解成上边的"竹"字表示用竹子做笔杆，下边的"毛"字表示用动物的毛做笔头。

现在我们有很多别的笔了，比如铅笔、钢笔、圆珠笔，还有电脑、手机。人们平时可以不用毛笔写汉字了，但很多人对汉字的书法艺术很感兴趣。他们每天都写毛笔字，练书法。丁力波不但汉语说得很流利，而且汉字也写得很漂亮。他很喜欢用名牌毛笔练书法。

生词　New Words

1	简化	jiǎnhuà	V	simplify
2	蒙恬	Méng Tián	PN	Meng Tian, a general in the Qin Dynasty
3	蘸	zhàn	V	dip in
4	铅笔	qiānbǐ	N	pencil
5	钢笔	gāngbǐ	N	pen
6	圆珠笔	yuánzhūbǐ	N	ball-point pen

问题　Questions

① 中国人用毛笔写字有多长的历史了？

两千多年

② 毛笔是谁发明的？

蒙恬

③ 在没有毛笔以前，古代中国人用什么写字？

刀

④ 你对汉字的书法艺术感兴趣吗？

我对汉字的书法艺术感兴趣。

（4）Answer the questions according to the passage.

东西方国家对数字的感情

在西方，人们一般都不喜欢"13"这个数字。因为在基督教的故事里，背叛耶稣的人犹大正是他的第 13 个信徒。西方的许多高楼都没有第 13 层，从第 12 层就到了第 14 层。在中国，人们也有不喜欢的数字——4。因为 4 的读音是 sì，而"死"的发音是 sǐ，两个字的声音很像。有的人认为，说"4"好像说"死"一样，很不吉利。所以，有的楼房把第 4 层写成第 F 层。中国人特别喜欢 6、8 和 9。因为他们认为 6 就是顺利的"顺"，8 就是发财的"发"，9 就是天长地久的"久"。有这三个数字的电话号码和车牌号码，一般都会比没有的贵很多。

生词　New Words

1	耶稣	Yēsū	PN	Jesus
2	犹大	Yóudà	PN	Judas
3	顺利	shùnlì	A	successful
4	发财	fācái	V	get rich, make a pile
5	久	jiǔ	A	everlasting

问题　Questions

① 为什么西方人不喜欢"13"这个数字？

② 为什么中国人不喜欢"4"这个数字？

③ 西方人说楼房的层数时怎么对待不吉利的数字？

④ 中国有的楼房为什么把第 4 层写成第 F 层？

⑤ 中国人为什么喜欢"6""8""9"这些数字？

⑥ 中国的电话号码和车牌号码里有"6""8""9"的和没有的有什么不同？

21 根据本课课文完成此段落。
Complete the passage according to the texts in this lesson.

今天是我的生日，与以前不同，这次有中国朋友和我一起过。我准备了生日蛋糕、水果、茶、可乐，我们一边吃东西，一边聊天儿，非常开心。中国朋友送了我一些生日礼物，它们都很有特色，我非常喜欢……

22 用下列词语描述你们国家的一种节日（至少用8个）。
Describe one of the festivals in your country with at least 8 words and phrases from the following list.

过 节日 重要 准备 礼物 希望 名牌 那么 小意思 不过
表示 得到 别人 一般 担心 礼轻情意重 特色 原来 不一样
喜欢

在新加坡，我们过春节。春节是新加坡最重要的节日。其他的节日没有春节那么热闹。除夕的时候，新加坡人一般都会准备很多食物，我特别喜欢吃饺子真美味可口！春节的时候，孩子们会拿到红包。希望红包里有很多钱。
我每次

请多提意见
Your suggestions will be highly appreciated.

听说练习 Listening and Speaking Exercises

1 发音练习。
Pronunciation drills.

Read the following words or phrases aloud, paying special attention to the pronunciation of "j, q, x, z".

j——家里有书架　君子兰的叶子　比较　教授　浇水　文学家
汉语句子

q——请多提意见　墙上　整整齐齐　太谦虚了　旗袍　前门
多少钱

x——修整盆景　师不必贤于弟子　互相学习　关心　希望

z——一幅字画　走得很整齐　主要作品　打扫院子　称赞

3
2~7

2 听问题，根据课文内容圈出正确的答案。
Listen to each question and circle the correct answer according to the texts.

① A. 古书　　　　B. 盆景　　　　　C. 文房四宝　　　Ⓓ.中国字画

② A. 起床以后　　　　　　　　　　Ⓑ.工作累的时候

　　C. 吃饭以前　　　　　　　　　　D. 休息以前

③ Ⓐ.林娜　　　　B. 马大为　　　　C. 丁力波　　　　D. 张教授

④ A. 林娜　　　　B. 马大为　　　　Ⓒ 丁力波　　　　D. 张教授

⑤ A.《书法艺术》　　　　　　　　　B.《汉字书法作品》

　　Ⓒ.《汉字书法艺术》　　　　　　D.《汉字书法艺术课本》

3　听对话，并判断正误。
Listen to the following dialogue and decide whether the statements are true (T) or false (F).

① 女的也认为张教授很谦虚。　　　　（ T ）

② 张教授说自己的字很好。　　　　（ F ）

③ 张教授写了一本关于养花的书。　　（ F ）

④ 学生要向老师学习，老师不用向学生学习。（ F ）

⑤ 学习汉语还应该了解中国的文化的特色。（ T ）

4　听句子，并填空。
Listen and fill in the blanks.

① 书房的墙上＿＿挂＿＿着中国字画。

② 外边还整整齐齐地＿＿摆＿＿着这么多花儿和盆景。

③ ＿＿养＿＿花是不太难。不过，让它常开花，就不容易了。

④ 盆景要常常＿＿修整＿＿才会好看。

⑤ 学习书法要每天都认认真真地＿＿练＿＿。

5　听句子，写拼音。
Listen and write the sentences in *pinyin*.

① ＿＿＿＿＿＿＿＿＿＿＿＿＿＿＿＿＿＿

② ＿＿＿＿＿＿＿＿＿＿＿＿＿＿＿＿＿＿

③ ＿＿＿＿＿＿＿＿＿＿＿＿＿＿＿＿＿＿

④ ＿＿＿＿＿＿＿＿＿＿＿＿＿＿＿＿＿＿

⑤ ＿＿＿＿＿＿＿＿＿＿＿＿＿＿＿＿＿＿

6　听句子，写汉字。
Listen and write the characters.

① 君子兰是很好养。

② 我哪儿是园艺师？

③ 养花儿是不太难。

④ 外边还整整齐齐地摆着盆景。

⑤ 请多提意见。

7 角色扮演。
Role-play.

Listen to and imitate the dialogue together with your partner. Try to get the meaning of the dialogue with the help of your friends, teachers or dictionaries.

8 文化体验。
Culture experience.

　　你会中国书法吗？问问你的中国朋友应该怎么写，然后用毛笔和墨水在白纸上试着写几个汉字。

9 从下面的书法作品中找出你认识的汉字并试着模仿它们。
Point out the characters you know from the following calligraphic copybook and try to imitate them.

必浚其泉源思国之安者必积其德义源不涸
虽下愚知其不可而况于明哲乎人君当神器
求木茂塞源而欲流长也凡昔元首承天景命
必竭诚以待下既得志则纵情以傲物竭诚则
感怒终苟免而不怀仁貌而不心服怨不在高危则
以自戒将有作则思知止以安人念高危则
以为度忧懈怠则思慎始而敬终虑壅蔽则
喜以谬赏罚所及则思无以怒而滥刑总此
者竭其力仁者播其惠信者效其忠文武并
者　丁亥之春季福

读写练习 Reading and Writing Exercises

1 按正确的笔顺描汉字，并在后边的空格里写汉字。

Trace the characters following the correct stroke order. Then copy the characters in the blanks.

必	丶 心 心 必 必	必	必							
互	一 丆 互 互	互	互							
尹	刁 ヲ ヨ 尹	尹	尹							
于	一 二 于	于	于							

2 在空格里写汉字，注意汉字的部件。

Write the characters in the blanks, paying attention to the character components.

yíng	卬 + 辶	迎							
qiáng	土 + 丄 + 回	墙							
jià	力 + 口 + 木	架							
zhěng	束 + 攵 + 正	整							
bǎi	扌 + 四 + 去	摆							
pén	分 + 皿	盆							
jūn	尹 + 口	君							
lán	丷 + 三	兰							
yè	口 + 十	叶							
yǎng	羊 + 八	养							
jiào	车 + 交	较							

jiāo	氵＋戈＋兀	浇						
xiū	亻＋丨＋攵＋彡	修						
yì	艹＋乙	艺						
xián	刂＋又＋贝	贤						
jù	勹＋口	句						
qiān	讠＋兼	谦						
xū	虍＋业	虚						
táng	广＋肀＋口	唐						
dài	亻＋弋	代						

3 为下列词语标注拼音，并译成英文。

Mark *pinyin* for the following words and phrases and then translate them into English.

（1）长城长　小孩长得很高　叶子长长了

_____

_____

（2）快乐　音乐

_____

（3）不必　不如

_____

（4）主角　角色

_____

_____

（5）提高　打开　放下　得到　看见　站住　停住　摆好

_____

_____

4 为下列每组词语标注拼音，并译成英文。猜一猜没学过的词语的意思，并通过朋友、老师或词典来确认。

Mark *pinyin* for the following groups of words and phrases and then translate them into English. Try to guess the meanings of the words and phrases you haven't learned and then confirm them with the help of your friends, teachers or dictionaries.

（1）书房　书架　书法　图书馆

_____

_____

（2）盆景　风景　景观

_____

_____

（3）开花　开门　开心　开会

_____

_____

（4）老师　医师　师傅　园艺师　工程师

_____

_____

（5）不如　比如　如果　如意

_____

_____

（6）明白　明亮　明年

_____

_____

5 根据所给拼音，把第一行和第二行的汉字连线组成词。

Match each of the following characters in the first line with that in the second to make a word according to the *pinyin* provided. Draw a line to connect the two.

huānyíng　　qiáng shang　　zhěngqí　　bǐjiào　　jiāo huā　　yuányì

pénjǐng　　hùxiāng　　qiānxū　　yìsi　　Tángdài　　bùrú

墙　欢　浇　整　比　园　意　盆　互　谦　唐　不

花　上　迎　艺　思　齐　较　虚　代　景　如　相

6 选用正确的汉字填空。

Fill in the blanks with the correct characters.

（1）他做 练 习。

我锻 炼 身体。

（练　陈　炼）

（2） 欢 迎你们。

请大家参 观 。

（现　观　欢）

（3）这是 盆 景。

那是光 盘 。

（盆　盘　监）

（4）他在 修 整君子兰。

他在书房 休 息。

（休　体　修）

（5）这是园艺师的 作 品，他 做 得很漂亮。

（做　作　昨）

7 根据所给拼音，把括号里的汉字组成句子。

Organize the characters in the parentheses into Chinese sentences according to the *pinyin* given.

（1）Qiáng shang guàzhe Zhōngguó zìhuà.

（挂着中国墙上字画）

（2）Wàibian hái zhěngzhěngqíqí de bǎizhe zhème duō huā.

（这么地外边摆着还整整齐齐多花）

_____

（3）Nǐ měi tiān dōu rènrènzhēnzhēn de liàn.

（每天你练都认认真真地）

_____

（4）Tā jiù bǎ zhèxiē pénjǐng xiūzhěng xiūzhěng.

（盆景就他这些把修整修整）

_____

（5）Wǒ nǎr shì yuányìshī? Zhè zhǐshì yìdiǎnr àihào.

（哪儿我园艺师是爱好这只是一点儿）

_____

8 根据拼音填汉字。

Fill in the blanks with the correct characters according to the *pinyin*.

张教授请外国学生去他的书房做客。林娜觉得书房很有特色，外边还 zhěng__整__整齐齐地 bǎi__摆__着许多花儿和 pénjǐng__盆景__。她觉得养花很有意思，也想在宿舍里养。张教授工作累的时候，就到外边去 jiāojiao__浇浇__花，修整修整盆景，他把这个作为很好的休息。盆景是一种艺术，张教授的盆景种得很好，学生夸他是园 yì__艺__师。可是他很 qiānxū__谦虚__，说这只是一点儿爱好。丁力波问张教授关于中国书法的问题，张教授说学习书法要多看，每天都要认认真真地 liàn__练__。他称自己的书法是"我的字很一般"，他把自己刚写的书送给学生们，还请年轻的学生给他的新书多提 yì__意__见。在张教授身上我们看到了中国文化的一些特点。

9 猜字谜。
Character riddle.

一点一横长，一撇到南阳。

里面长棵树，睡觉好舒服。

（打一个汉字　The key is a character.）

头戴大礼帽，做事很可靠。

（打一个汉字　The key is a character.）

Key to the riddle in Lesson 28：桌子

10 用合适的动词填空。
Fill in the blanks with proper verbs.

（1）请坐，___喝___点儿什么？

（2）书架上___放___着这么多古书。

（3）___养___盆景比养花要难得多。

（4）我要把它___挂___在我宿舍的墙上。

（5）请多___提___意见。

11 选择正确的答案。
Choose the correct answers.

（1）我明天下了课_____去买盆花。

　　A. 已经　　　　Ⓑ. 就　　　　C. 都　　　　D. 没

（2）养花_____有意思，可是你能养好吗？

　　A. 能　　　　B. 没　　　　Ⓒ. 是　　　　D. 还

（3）您还_____是一位园艺师呢！

　　Ⓐ. 真　　　　B. 也　　　　C. 已经　　　　D. 太

（4）如果你每天都认认真真地练，_____能把汉字写得很漂亮。

　　Ⓐ. 就　　　　B. 该　　　　C. 也　　　　D. 会

（5）老师和学生_____互相学习。

　　A. 就　　　　B. 不一定　　　　C. 也　　　　Ⓓ. 应该

12 连接 I 和 II 两部分的词语，组成句子。

Make sentences by matching the words and phrases in Column I with those in Column II. Draw a line to connect each pair.

I

那个房间里住着

绿绿的叶子

小孩们在安安静静地

请把这个礼物

广州话

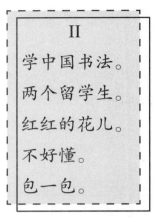

II

学中国书法。

两个留学生。

红红的花儿。

不好懂。

包一包。

13 用所给词语组成句子。

Make sentences with the words and phrase given.

For example: 说 好 他 得 汉语 很 → 他汉语说得很好。

（1）名牌 书房 放着 里 电脑 一台

→ _____

（2）一双 有 的 腿 他 长长

→ _____

（3）学习 要 才能 很好地 休息 很好地

→ _____

（4）学过 复习 回家 词语 复习 的 把

→ _____

（5）都 中药 好吃 西药 不 和

→ _____

14 用所给词语造句。

Make sentences with the words and phrases given.

（1）……写着……：_____

（2）……放着……：_____

（3）……站着……：_____

（4）……坐着……：_____

（5）……摆着……：_____

15 把下列句子改写为"把"字句。
Change the following sentences into "把"- sentences.

For example：张教授常常修整这些盆景。→张教授常常把这些盆景修整修整。

（1）吃以前要洗水果。→ 吃以前要把水果洗洗。

（2）应该每天浇这些花。→ 应该每天把这些花浇浇。

（3）做完练习以后要检查答案。→做完练习以后要把答案检查一下。

（4）每次用的时候最好先洗这些刀叉。→每次用的时候最好先把这些刀叉洗一下。

（5）在作业本上写刚学的词语。→在作业本上把刚学的词语写一下。

16 用上括号里的词语，把下列句子译成中文。
Translate the following sentences into Chinese with the words and phrases given in the parentheses.

（1）There is a piece of birthday cake on the table.（放着）
桌上放着一块生日蛋糕。

（2）We should do some cleaning of the study.（把……打扫）
我们应该把书房打扫一下。

（3）That girl with big eyes is so beautiful.（大大的）
那位女孩大大的眼睛很漂亮。

（4）This dish is easy to cook.（很好）
这个菜很好做。

（5）You should do it carefully.（仔仔细细地）
你应该仔仔细细地做。

17 判断下列句子的语法是否正确。

Decide whether the following statements are grammatically correct (✓) or wrong (✕).

（1）在客厅里坐着一位老人。　　　　　　　　（　　　）

（2）外边正站着一位服务员。　　　　　　　　（　　　）

（3）桌子上放着一台名牌电脑。　　　　　　　（　　　）

（4）书架上整整齐齐摆着很多古书。　　　　　（　　　）

（5）请把这些汉字练。　　　　　　　　　　　（　　　）

18 根据本课"阅读与复述"中的短文内容判断正误。

Decide whether the following statements are true (T) or false (F) according to the passage in "Reading Comprehension and Paraphrasing" in this lesson.

（1）老舍养的花很少。　　　　　　　　　　　（　　　）

（2）老舍的花整整齐齐地摆在小院子里。　　　（　　　）

（3）吃药比养花对身体的好处大。　　　　　　（　　　）

（4）老舍常把买的花当做礼物送给朋友。　　　（　　　）

（5）养花不但能美化生活，而且能美化人的心灵。（　　　）

19 回答问题。

Answer the following questions.

（1）你喜欢中国文化吗？比如书法、太极拳、京剧、中国画，等等。

（2）受到别人称赞时，你一般怎么回答？

（3）受到别人称赞时，中国人一般怎么回答？

（4）你习惯中国人对称赞的回答吗？为什么？

20 读短文，并完成下列练习。

Read the passages and do the following exercises.

（1）Fill in each blank with the correct word.

　　宿舍东边的墙上挂＿＿＿＿＿一幅字画，上面写＿＿＿＿＿"学而时习之"五个大字。宋华说，这是张教授给他写的。马大为问宋华，这句话是什么意思，宋华说，这句话是孔子＿＿＿＿＿他学生说的。意思是说，学过的知识，要常复习、常练习。张教授送给我这幅字，是鼓励我要努力学习、认真学习。

生词　New Word

鼓励	gǔlì	V	encourage

（2）Complete the statements according to the passage.

　　月季，学名"Rose chinensis"，英文名"Chinese rose"，别名长春花、月月红等。它是北京市的市花。中国是月季花的原产地。它已经有一千多年的栽培历史了。在世界上，人们称赞月季花是花中皇后。经过二百多年的培养，人们创造了两万多个园艺品种。月季可盆栽观赏，也可种在花坛里，或者布置成月季园。

生词　New Words

①	原产地	yuánchǎndì	N	original place of production
②	栽培	zāipéi	V	cultivate, grow
③	皇后	huánghòu	N	empress, queen
④	培养	péiyǎng	V	cultivate
⑤	品种	pǐnzhǒng	N	variety
⑥	布置	bùzhì	V	arrange, decorate

①月季花的原产地是＿＿＿＿＿＿＿。

②月季花已经有＿＿＿＿＿＿＿年的栽培历史了。

③ 人们把＿＿＿＿＿＿叫做花中皇后。

④ 月季花是北京市的＿＿＿＿＿＿。

（3）Answer the questions according to the passage.

　　一位书法家说，要想写出好字，就要认真练习。他给我们介绍了一个好办法。让我们去找一块砖，再用一些麻线绑成<u>一支笔</u>，旁边放一盆水。每天早上起床以后，或者睡觉以前，用麻笔蘸水在砖上写字，一边写，一边就干了，非常方便。不用花钱买笔墨，也不用花钱买纸。只要买一本自己喜欢的字帖，天天照着字帖练，就一定能写出很漂亮的汉字。如果你愿意，可以试一试。

生词　New Words

1	麻线	máxiàn	N	flaxen thread
2	绑	bǎng	V	bind, tie
3	字帖	zìtiè	N	copybook (for calligraphy)

问题　Questions

① 用一些麻线绑成什么？

　　一支笔

② 是不是用麻笔蘸水在纸上写字？

　　不是用麻笔蘸水在纸上写字。

③ 要不要买墨？

　　不要买墨

21 根据本课课文完成此段落。
Complete the following passage according to the texts in this lesson.

　　今天王老师请我去他家吃饭，我很高兴。王老师说他家里吃得非常简单，这是很随便的一顿饭。可是我数了数，我们只有三个人，桌子上一共有六个菜呢。这叫"非常简单"、"很随便"吗？……

22 以"我的爱好"为题写一篇小短文。

Write a short essay with the title of "我的爱好".

我的爱好

我有各种各样的爱好,比如跳舞,旅行,尝试新食物等。我特别喜欢打排球。我去年开始打排球。虽然我是排球新手,但是我对排球十分感兴趣。排球不但让我锻炼身体,而且还让我认识很多新朋友,真是一举两得!排球在美国比新加坡更受欢迎。我希望越来越多人会试一试这个运动。

23 阅读下列材料,和你的同伴做问答练习。

Read the table below. Do question-and-answer exercises with your partner.

欢迎光临本店

饮料类

意大利咖啡	(大)15.00元	(小)9.00元
普通咖啡	(大)8.00元	(小)6.00元
巧克力咖啡	(大)10.00元	(小)8.00元
冰沫咖啡	(大)10.00元	(小)8.00元
龙井茶	15.00元	
碧螺春茶	15.00元	
乌龙茶	12.00元	
八宝茶	10.00元	
冰红茶	8.00元	
热绿茶	5.00元	
果汁	6.00元	
啤酒	10.00元	
可乐	5.00元	
冰水	3.00元	

他们是练太极剑的

They are practicing taiji sword.

听说练习 Listening and Speaking Exercises

1 发音练习。

Pronunciation drills.

Read the following words or phrases aloud, paying special attention to the pronunciation of "j, q, x" and retroflex ending.

j——太极剑　民间　简单　健康　这叫做太极剑　叫好

　　街心花园　最近　京剧团

q——太极拳　下棋　小区　立交桥　下课以前　天气不好

　　情况怎么样　齐白石先生

x——休闲　故乡　留学生　地方戏　汉语系　修整　写字

　　想一想　放心

Retroflex ending——这是哪儿啊　这儿是我家　画花儿　画画儿

　　　　　　　有什么事儿　玩儿得高兴

4

2~7

2 听问题，根据课文内容圈出正确的答案。

Listen to each question and circle the correct answer according to the texts.

① A. 扭秧歌　　　B. 太极剑　　　C. 中国武术　　　D. 太极拳

② A. 街上　　　　B. 小区里　　　C. 街心花园　　　D. 立交桥下

③ A. 做操　　　　B. 跑步　　　　C. 爬山　　　　　D. 去网吧

④ A. 唱京剧　　　　　　　　　　B. 下棋

　　C. 扭秧歌　　　　　　　　　　D. 带着小狗散步

⑤ A. 非常注意锻炼身体　　　　　B. 喜欢全家人在一起活动

　　C. 喜欢很多人在一起活动　　　D. 可能互相不认识

3 听对话，并判断正误。

Listen to the following dialogue and decide whether the statements are true (T) or false (F).

① 男的不喜欢早上锻炼。　　　　　　　　（　　）

② 男的跟爸爸一起扭秧歌。　　　　　　　（　　）

③ 女的跟外婆学习太极剑。　　　　　　　（　　）

④ 男的的爸爸只会练太极剑，不会打太极拳。（　　）

⑤ 他们明天早上一起跑步。　　　　　　　（　　）

⑥ 他们明天早上在街心花园见面。　　　　（　　）

4 听句子，并填空。

Listen and fill in the blanks.

① 现在晚上十点_____，街上人很少。

② 街上的人们_____唱_____跳，玩儿得真高兴。

③ 立交桥下，有许多人在做运动，有唱京剧_____、下棋_____、散步_____。

④ 以前他们很忙，_____他们退休了，休闲的时间也多了。

⑤ 我看别人下棋，看_____忘了吃饭。

5 听句子，写拼音。

Listen and write the sentences in *pinyin*.

① _____

② _____

③ _____

④ _____

⑤ _____

6 听句子，写汉字。

Listen and write the characters.

① _____

② _____

③ _____

④ _____

⑤ _____

7 角色扮演。
Role-play.

Listen to and imitate the dialogue together with your partner. Try to get the meaning of the dialogue with the help of your friends, teachers or dictionaries.

8 文化体验。
Culture experience.

　　问问你认识的中国朋友，他们的休闲活动有哪些。讨论你们喜欢的体育运动，并向朋友介绍一下你喜欢这些运动的原因。

读写练习　Reading and Writing Exercises

1 按正确的笔顺描汉字，并在后边的空格里写汉字。
Trace the characters following the correct stroke order. Then copy the characters in the blanks.

兆	ノ ノ ゾ ゾ 兆 兆 兆	兆	兆							
攴	丨 卜 与 攴	攴	攴							

2 在空格里写汉字，注意汉字的部件。

Write the characters in the blanks, paying attention to the character components.

jiàn	金+刂	剑							
jiē	彳+土+土+于	街							
dòng	云+力	动							
tiào	足+兆	跳							
qiāo	高+攴	敲							
luó	钅+四+夕	锣							
gǔ	壴+支	鼓							
niǔ	扌+丑	扭							
yāng	禾+央	秧							
dǎo	足+⺌+臼	蹈							
jiǎn	竹+间	简							
hàn	氵+干	汗							
wǔ	一+弋+止	武							
bān	王+丶+丿+王	班							
qí	木+其	棋							
qiáo	木+乔	桥							
tuì	艮+辶	退							
xián	门+木	闲							

shì	弋 + 工	式						
cāo	扌 + 品 + 木	操						
wǎng	冂 + 乂 + 乂	网						
tīng	厂 + 丁	厅						

3 为下列词语标注拼音，并译成英文。

Mark *pinyin* for the following words and phrases and then translate them into English.

（1）要不　不要

_____

_____

（2）爱好　叫好

_____

_____

（3）扭得全身是汗　得到一块巧克力　你得学习练太极拳

_____

_____

（4）快乐　音乐

_____

_____

（5）结果　说话　食物　照相　送礼　下棋　结业　吃饭　聊天儿
　　放心　放假　挂号　换钱　加油　烤鸭　排队　起床　上班
　　散步　跳舞　唱歌　开车　看病　跑步　做操　罚款　教书

_____

_____

4 为下列每组词语标注拼音，并译成英文。猜一猜没学过的词语的意思，并通过朋友、老师或词典来确认。

Mark *pinyin* for the following groups of words and phrases and then translate them into English. Try to guess the meanings of the words and phrases you haven't learned and then confirm them with the help of your friends, teachers or dictionaries.

（1）跳秧歌舞　跳交谊舞　跳民族舞　跳芭蕾舞

_____

_____

（2）打太极拳　打球　打电话　打水　打饭

_____

_____

（3）老人　老板　老师　老头儿　老爸　老婆　老公

_____

_____

（4）唱京剧　唱流行歌曲　唱民歌　唱外国歌

_____

_____

（5）上班　下班　白班　夜班　加班

_____

_____

（6）叫好　叫座　叫做

_____

_____

（7）休闲　休息　休假

_____

_____

（8）网吧　酒吧　书吧

_____

_____

5　根据所给拼音，把第一行和第二行的汉字连线组成词。

Match each of the following characters in the first line with that in the second to make a word according to the *pinyin* provided. Draw a line to connect the two.

huódòng　　tiàowǔ　　jiǎndān　　wǔdǎo　　shàngbān　　dàqiáo

tuìxiū　　fāngshì　　pǎobù　　duìmiàn　　wǎngbā　　ménkǒu

跳　活　舞　简　大　上　退　方　对　跑　网　门

蹈　舞　动　桥　班　单　面　步　休　式　口　吧

6　选用正确的汉字填空。

Fill in the blanks with the correct characters.

（1）他在家很休_____。

　　我没有时_____。

　　这很_____单。

　　（间　闲　问　简）

（2）他的动_____很漂亮。

　　这叫_____盆景。

　　（做　坐　作）

（3）他喜欢_____术。

　　我爱好跳_____。

　　（舞　午　武）

（4）这种方_____不错。

　　他们明天考_____。

　　（试　式　是）

7　根据所给拼音，把括号里的汉字组成句子。

Organize the characters in the parentheses into Chinese sentences according to the *pinyin* given.

（1）Qiánbian zǒu guòlai bù shǎo lǎorén.

　　（过来前边走老人不少）

（2）Xiànzài bā diǎn bàn le.

（八现在半了点）

_____

（3）Tāmen wánr de zhēn gāoxìng.

（玩儿他们得高兴真）

_____

（4）Yǐqián tāmen máng de méiyǒu shíjiān chàng.

（他们忙唱得没有以前时间）

_____

（5）Yānggewǔ de dòngzuò yòu jiǎndān yòu hǎokàn.

（动作又的秧歌舞简单好看又）

_____

8　根据拼音填汉字。

Fill in the blanks with the correct characters according to the *pinyin*.

　　星期六的早上八点，街上已经很 rènao_____了。宋华、马大为和丁力波看见有很多人在街上 yòu_____唱 yòu_____跳，玩儿 de_____很高兴。人们 yìbiān_____扭秧歌，yìbiān_____敲锣打鼓。他们 yòu_____看到练太极剑的，丁力波说他 yǐqián_____在学校练过太极拳，xiànzài_____正在练太极剑。东边的立交桥下 hái_____有很多唱京剧 de_____老人，宋华说他们是 xiǎoqū_____的京剧 àihàozhě_____。围过来听京剧的听 de_____很高兴，就大声地 wèi_____这些唱京剧的老人 jiàohǎo_____。

9　猜字谜。

Character riddle.

　　　　太阳跟月亮见面。

　　　　　　（打一个汉字　The key is a character.）

Key to the riddle in Lesson 29：床、实

10 用合适的动词填空。

Fill in the blanks with proper verbs.

（1）那儿有很多人正在_____秧歌。

（2）他们一边跳舞，一边_____锣_____鼓。

（3）这种舞很好_____，你也能很快学会的。

（4）我每天早上都要_____太极拳。

（5）老人们常常_____着自己的小狗散步。

11 选择正确的答案。

Choose the correct answers.

（1）你还是复习一下吧，_____明天考试的时候你就不会做题了。

    A. 所以　　　　　B. 要不　　　　　C. 而且　　　　　D. 可是

（2）我去年八月回过一次国，_____就再也没回去过。

    A. 后来　　　　　B. 从来　　　　　C. 将来　　　　　D. 未来

（3）语言学院有很多留学生，有美国_____、有欧洲_____、

    有亚洲_____、还有非洲_____。

    A. 地　　　　　　B. 得　　　　　　C. 的　　　　　　D. 了

（4）衣服洗_____干干净净的。

    A. 地　　　　　　B. 得　　　　　　C. 的　　　　　　D. 了

（5）爸爸七十岁_____，可是身体还是很好。

    A. 地　　　　　　B. 得　　　　　　C. 的　　　　　　D. 了

12 连接Ⅰ和Ⅱ两部分的词语，组成句子。

Make sentences by matching the words and phrases in Column I with those in Column II. Draw a line to connect each pair.

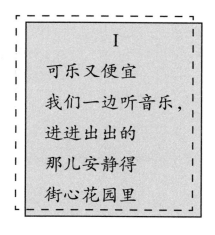

Ⅰ

可乐又便宜

我们一边听音乐，

进进出出的

那儿安静得

街心花园里

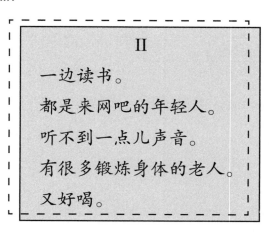

Ⅱ

一边读书。

都是来网吧的年轻人。

听不到一点儿声音。

有很多锻炼身体的老人。

又好喝。

13 用所给词语组成句子。

Make sentences with the words and phrases given.

For example: 真　我们　得　高兴　玩儿 → 我们玩儿得真高兴。

（1）花　放　宿舍门口　了　几盆

　　→ _____

（2）走出　年轻人　里　网吧　几个

　　→ _____

（3）丁力波　太极拳　打得　打　很好

　　→ _____

（4）那　姑娘　又漂亮　又年轻　个

　　→ _____

（5）现在　了　进来　你　可以

　　→ _____

14 用所给词语造句。

Make sentences with the words and phrases given.

（1）打太极拳　得　很漂亮

_____

（2）忙　得　没时间吃饭

_____

（3）街心花园　又干净　又漂亮

_____

（4）写汉字　得　还可以

_____

（5）小伙子　又年轻　又热情

_____

15 把下列句子改写为带有助词"了"的句子。

Change the following sentences into sentences with the particle " 了 ".

For example: 现在十一点。→ 现在十一点了。

（1）时间已经很晚。→ _____

（2）去年我妈妈开始练太极拳，现在她的身体很好。

　　　→ _____

（3）以前丁力波打太极拳，现在他练太极剑。

　　　→ _____

（4）等一下。（过了一会儿）

　　　现在你可以进来。

　　　→ _____

（5）我年纪已经不小。→ _____

（6）我已经二十三岁。→ _____

16 用上括号里的词语，把下列句子译成中文。

Translate the following sentences into Chinese with the words and phrases given in the parentheses.

（1）It is 20:00 now.（ 了 ）

_____

（2）What kind of dance do you like best？（ 跳舞 ）

_____

（3）It is good for your health to do some exercises.（ 对……好 ）

_____

（4）He is cleaning the house. And at the same time he is listening to pop music.

（ 一边……，一边…… ）

_____

（5）In 1996, I went to Japan. From then on, I have never been there.（ 从……以后 ）

17 判断下列句子的语法是否正确。

Decide whether the following statements are grammatically correct (✓) or wrong (×).

（1）看，月亮下去。　　　　　　　　　　　　　　（　　　）

（2）他打太极拳好极了。　　　　　　　　　　　　（　　　）

（3）把课文念一念，要不上课时你又念不好了。　　（　　　）

（4）那儿走了两个人。　　　　　　　　　　　　　（　　　）

（5）现在几点？你还不睡觉？　　　　　　　　　　（　　　）

18 根据本课"阅读与复述"中的短文内容判断正误。

Decide whether the following statements are true (T) or false (F) according to the passage in "Reading Comprehension and Paraphrasing" in this lesson.

（1）跑步是老年人最好的锻炼。　　　　　　　　　（　　　）

（2）医生建议老年人每天走 30 分钟的路，每个星期最少走五次。（　　　）

（3）身体好的或者身体不太好的老人，都应该多走路，走很多
　　　的路。　　　　　　　　　　　　　　　　　　（　　　）

（4）每天走路走一个小时的老人，比每天很少走路的老人长寿。（　　　）

（5）95 岁的老人每天早晨都要走一个小时的路，应该走得全
　　　身出汗。　　　　　　　　　　　　　　　　　（　　　）

19 回答问题。

Answer the following questions.

（1）你喜欢什么时间进行锻炼？为什么？

（2）你有哪些休闲活动？

（3）你常常走路或者跑步吗？你觉得怎样运动对身体最好？

（4）你觉得年轻人整天对着电脑工作或者玩儿电脑好不好？

20 读短文，并完成下列练习。

Read the passages and do the following exercises.

（1）Fill in each blank with the correct word.

象棋在中国已经有 2000 多年的历史_____。为什么叫做象棋呢？因为古代喜欢下棋的人很多都是那些将军们。他们用的棋子一般是象牙做的，所以叫做象棋。古代下象棋可以 7 个人同时下。到_____宋代以后，人们下的象棋_____现在一样，也是 32 个棋子，两个人下。现在，下象棋是老年人最喜欢的休闲方式之_____，它也是一种很好的体育活动。中国还有研究象棋和围棋的棋院，那里的象棋高手都是大师级的。

（2）Complete the following statements according to the passage.

扭秧歌是中国北方民间的文化活动。据舞蹈专家研究，扭秧歌已经有 5000 多年的历史了。古时候，唱歌、跳舞一般都跟生产劳动有关系。比如扭秧歌，跟种田插秧有关系。人们插秧累了，就站起来伸一伸胳膊，扭一扭腰，觉得很舒服。有的人把扭一扭、跳一跳的动作编成舞蹈，大家跟着扭，这就成了扭秧歌。

现在不少人很喜欢扭秧歌，特别是中国北方农村，男女老少差不多人人都喜欢。扭秧歌要敲锣打鼓，动作虽然简单，但很有节奏感。它是一种很快乐的舞蹈活动，又是锻炼身体的好方式。

生词 New Words

1	插秧	chāyāng	V	transplant rice seedlings
2	节奏	jiézòu	N	rhythm

① 扭秧歌是中国_____的文化活动。

② 扭秧歌有_____年的历史了。

③ 扭秧歌跟_____有关系。

④ 扭秧歌的动作虽然很_____，但很_____节奏感。

⑤ 扭秧歌是_____，又是_____。

（3）Answer the questions according to the passage.

为京剧叫好

中国观众在看京剧的时候，看得高兴时，就用喝彩、鼓掌的方式来表示自己高兴的心情，他们也用这种方式来赞扬京剧演员。这种习俗，在北方叫"叫好"，在南方叫"喝彩"。喝彩有正彩、倒彩两种。正彩，是因为演员的唱、做都很好，观众就大声叫"好"，表示对他们的赞赏。这个时候，观众的"好"声一般都很长、很响，所以喝正彩又叫"叫好"。喝倒彩，是指演员在表演的时候，唱错了，或者演坏了，观众把"好"声拉得很长，还在最后加一个"吗"字。在过去，有的人不尊重京剧演员，用大声怪叫的方式喝倒彩，这是很不文明的行为。但多数情况下，观众会对京剧演员的演出叫好和鼓掌。

生词　New Words

1	喝彩	hècǎi	V	acclaim, cheer
2	鼓掌	gǔzhǎng	V	clap one's hands, applaud
3	倒彩	dàocǎi	N	booing, hooting, catcall

问题　Questions

① 中国的京剧观众用什么方式表示对演员的赞扬？

② 观众一般在什么时候喝倒彩？你认为这种行为对吗？

③ 你有过听京剧的经验吗？如果有，谈谈你对"叫好"的看法。

21　根据本课课文完成此段落。

Complete the passage according to the texts in this lesson.

今天早晨，我和力波、宋华去散步。八点多了，街上活动的人还很多。有扭秧歌的，有打太极拳的……

中国人叫她"母亲河"

Chinese people refer to it as
"the Mother River".

 听说练习 Listening and Speaking Exercises

1 发音练习。
Pronunciation drills.

Read the following words or phrases aloud, paying special attention to the pronunciation of "zh, ch, sh, z, c, s".

zh——"中国通知识大赛" 只有一个月的准备时间

　　　　着急得吃不下饭 珠穆朗玛峰

ch——吃很多水果 成绩不好 长江 要放长假了 三峡工程

　　　　受到老师的称赞 差了点儿

sh——知识就是力量 最高的山峰 至少还有你 下个月放暑假

　　　　名胜古迹 南水北调

　z——了解自己 最高的山峰 中国的西藏 早在1200多年以前

　　　　她的名字叫长江

　c——从宿舍到图书馆 许多生词 上厕所 才知道这件事

　s——虽然 宿舍门口有许多树 第三大河 迎客松

　　　　四是四，十是十，四十是四十，十四是十四。

 2 听问题，根据课文内容圈出正确的答案。

5
2~7

Listen to each question and circle the correct answer according to the texts.

① A. 一个月　　　　　　　　B. 不到一个月

　Ⓒ 一个多月　　　　　　　D. 两个月

② A. 九百六十四万平方公里　　B. 九百六十平方公里

　C. 九百六十万平方里　　　　Ⓓ 九百六十万平方公里

③　A. 喜马拉雅山　　　　　　　Ⓑ珠穆朗玛峰

　　C. 泰山　　　　　　　　　　D. 黄山

④　A. 爸爸河　　　B. 父亲河　　Ⓒ母亲河　　D. 妈妈河

⑤　Ⓐ迎客松　　　Ⓑ长城　　　Ⓒ云海　　　Ⓓ奇峰

3　听对话，并判断正误。

Listen to the following dialogue and decide whether the statements are true (T) or false (F).

① 参加大赛的都是汉语水平高的留学生。　　（ F ）

② 女的觉得自己的汉语学得不好，所以决定不参加。　（ F ）

③ 男的已经在这儿学习了三个月的汉语了。　　（ T ）

④ 女的希望男的努力准备。　　　　　　　　（ T ）

⑤ "重在参与"就是参加最重要。　　　　　　（ T ）

4　听句子，并填空。

Listen and fill in the blanks.

① 珠穆朗玛峰＿＿有＿＿八千多米高。

② 谁说我老了？我还＿＿没有＿＿三十岁呢！

③ 中国内地的人口，一共有十三亿三千＿＿多＿＿万人。

④ ＿＿早在＿＿四十多年以前，语言学院就开始招收外国留学生。

⑤ 白云就＿＿像＿＿大海＿一样＿。

5　听句子，写拼音。

Listen and write the sentences in *pinyin*.

①　＿＿＿＿＿＿＿＿＿＿＿＿＿

②　＿＿＿＿＿＿＿＿＿＿＿＿＿

③　＿＿＿＿＿＿＿＿＿＿＿＿＿

④　＿＿＿＿＿＿＿＿＿＿＿＿＿

⑤　＿＿＿＿＿＿＿＿＿＿＿＿＿

6 听词语，写汉字。
Listen and write the characters.

1. 澳门
2. 珠穆朗玛峰
3. 泰山
4. 奇峰
5. 迎客松

7 角色扮演。
Role-play.

Listen to and imitate the dialogue together with your partner. Try to get the meaning of the dialogue with the help of your friends, teachers or dictionaries.

8 文化体验。
Culture experience.

如果你要去中国旅行，问问去过中国的朋友，中国有哪些名胜古迹。如果你去过中国，向你的朋友介绍一下你参观过的名胜古迹。

9 快速读出下列数字。
Read the following numbers as quickly as you can.

| 99 | 699 | 345 | 1,234 | 13,764 | 134,567 | 7,700,171 |

14,141,414　　444,111,345　　10,321,567,879　　10,102,500,007

109,414,567,356

 读写练习　Reading and Writing Exercises

1 按正确的笔顺描汉字，并在后边的空格里写汉字。

Trace the characters following the correct stroke order. Then copy the characters in the blanks.

万	一 丆 万	万	万						
世	一 十 卅 丗 世	世	世						

2 在空格里写汉字，注意汉字的部件。

Write the characters in the blanks, paying attention to the character components.

qīn	立 + 朩	亲							
huáng	卅 + 由 + 八	黄							
hé	氵 + 可	河							
jì	纟 + 责	绩							
jī	禾 + 只	积							
jiè	田 + 介	界							
kuò	扌 + 舌	括							
yì	亻 + 乙	亿							
què	石 + 角	确							
fēng	山 + 夂 + 丰	峰							
yáo	扌 + 爫 + 缶	摇							
lán	𥫗 + 监	篮							

é	亻+我	俄
luó	罒+夕	罗
sī	其+斤	斯
lù	阝+击	陆
wān	氵+弯	湾
gǎng	氵+共+巳	港
ào	氵+丿+冂+米+大	澳
zàng	艹+爿+戈+臣	藏
zhū	王+朱	珠
mù	禾+白+小+彡	穆
lǎng	良+月	朗
mǎ	王+马	玛
shèng	月+生	胜
jì	亦+辶	迹
sōng	木+公	松
shù	木+又+寸	树
qí	大+可	奇
guài	忄+又+土	怪
kē	木+果	棵

3 为下列词语标注拼音，并译成英文。

Mark *pinyin* for the following words and phrases and then translate them into English.

（1）围着很多人　着急

_____

_____

（2）年轻　圣诞　名称　河流　水平　头疼　心静

_____

_____

_____

4 为下列每组词语标注拼音，并译成英文。猜一猜没学过的词语的意思，并通过朋友、老师或词典来确认。

Mark *pinyin* for the following groups of words and phrases and then translate them into English. Try to guess the meanings of the words and phrases you haven't learned and then confirm them with the help of your friends, teachers or dictionaries.

（1）母亲　母校　母语

_____

_____

（2）成绩　成就　成功　成立

_____

_____

（3）放长假　放暑假　放水

_____

_____

（4）景色　景观　风景

_____

_____

5 根据所给拼音，把第一行和第二行的汉字连线组成词。

Match each of the following characters in the first line with that in the second to make a word according to the *pinyin* provided. Draw a line to connect the two.

mǔqīn Huáng Hé chéngjì miànjī shìjiè zhèngquè

yáolán shānfēng lǚyóu gǔjì sōngshù qíguài

黄 母 成 世 面 正 摇 山 古 旅 松 奇

绩 界 河 亲 篮 积 峰 确 游 怪 迹 树

6 选用正确的汉字填空。

Fill in the blanks with the correct characters.

（1）他的口语成 <u>绩</u> 不错。

这个房间的面 <u>积</u> 是 18 平方米。

（积 绩 和）

（2）这把 <u>刀</u> 很漂亮。

那两 <u>万</u> 元给你。

（万 刀 力）

（3）老师在上 <u>课</u> 。

那 <u>棵</u> 树很高。

（果 棵 课）

（4）这是君子 <u>兰</u> 。

那是摇 <u>篮</u> 。

（蓝 篮 兰）

7 根据所给拼音，把括号里的汉字组成句子。

Organize the characters in the parentheses into Chinese sentences according to the *pinyin* given.

（1）Zhūmùlǎngmǎ Fēng yǒu bāqiān bābǎi duō mǐ gāo.

（有 8800 珠穆朗玛峰 多 高 米）

_____

（2）Zhōngguó guótǔ miànjī yǒu jiǔbǎi liùshí wàn píngfāng gōnglǐ.

（面积中国有九百六十万公里平方国土）

_____

（3）Wǒ yǐjīng qùguo liǎng-sān ge dìfang le.

（去过我已经地方两三个了）

_____

（4）Huáng Shān yǒu yì kē shù jiàozuò "Yíngkèsōng" ba?

（有一棵黄山树"迎客松"吧叫做）

_____

（5）Zhōngguórén jiào tā "mǔqīn hé".

（中国人"母亲河"叫她）

_____

8 根据拼音填汉字。

Fill in the blanks with the correct characters according to the *pinyin*.

　　黄山的 jǐngsè 景色 是世界有名的。Zǎo zài 早在 1200 年 yǐqián 以前 ，它就 yǐjīng 已经 是中国的名胜了。它的景色在不同的时候 yǒu 有 不同的样子，不同的人看，yě yǒu 也有 不同的感觉。它最美的景色是 báiyún 白云 、sōngshù 松树 和 shānfēng 山峰 。Cóng 从 山上 wǎng 往 下看，白云就 xiàng 像 大海 yíyàng 一样 。人们 jiào 叫 它"yúnhǎi 云海 "。黄山有很多山峰的样子非常奇怪，所以又叫"qífēng 奇峰 "。黄山是很多外国朋友 cháng 常 去的地方。

9 猜字谜。

Character riddle.

　　牛过独木桥。

（打一个汉字　The key is a character.）

Key to the riddle in Lesson 30：明

10 用合适的动词填空。

Fill in the blanks with proper verbs.

（1）黄河____有____多长？

（2）我们班的学生，____包括____两个旁听生，共有24个人。

（3）我们____叫____他出租车司机师傅。

（4）刚才有人给大为____打____电话。

（5）明天就考试了，我着急得____睡____不好觉。

11 选择正确的答案。

Choose the correct answers.

（1）你们只要认真准备，_____一定会得到好的成绩。

    A. 才   ⒝ 就   C. 所以   D. 而且

（2）中国的面积_____美国大一点儿。

    A. 和   B. 跟   C. 为   Ⓓ 比

（3）中国的名胜古迹少说_____有五六百个。

    A. 没   B. 太   C. 多   Ⓓ 也

（4）你没去_____黄山吗？

    A. 了   B. 着   Ⓒ 过   D. 的

（5）我们这学期要用十_____本书。

    Ⓐ 多   B. 少   C. 个   D. 本

12 连接 I 和 II 两部分的词语，组成句子。

Make sentences by matching the words and phrases in Column I with those in Column II. Draw a line to connect each pair.

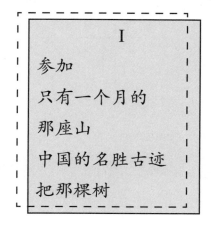
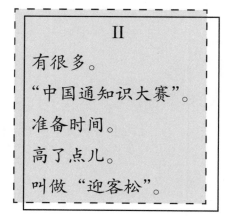

I	II
参加	有很多。
只有一个月的	"中国通知识大赛"。
那座山	准备时间。
中国的名胜古迹	高了点儿。
把那棵树	叫做"迎客松"。

13 用所给词语组成句子。

Write sentences with the words and phrases given.

For example: 没有 这座桥 有 50米 → 这座桥有没有50米？

（1）中国 几次 去 我 旅行 过

→ _____

（2）认真 你 只要 考 个 好 成绩 就会

→ _____

（3）我 老师 叫 他们

→ _____

（4）葡萄 一次 吃 能 我 两斤多

→ _____

（5）这里有 七千〇二十 十二亿 九千〇五万 个 人

→ _____

14 用所给词语造句。

Make sentences with the words and phrases given.

（1）叫 黄河 母亲河

_____

（2）有 人 打电话

_____

（3）有 几个人 去中国旅行

_____

（4）天气好 去旅游（只要……就……）

_____

（5）锻炼身体 身体好

_____

15 把下列句子改写为带动词"有"的句子。
Change the following sentences into sentences with the verb " 有 ".

For example: 他两米高。→ 他有两米高。

（1）学校三千名留学生。→ 学校有三千名留学生。

（2）这座山三百米高。→ 这座山有三百米高。

（3）这条河三十米宽？→ 这条河有三十米宽。

（4）这棵树一千多年历史。→ 这棵树有一千多年历史。

（5）我九十多斤。→ 我有九十多斤。

16 用上括号里的词语，把下列句子译成中文。
Translate the following sentences into Chinese with the words and phrases given in the parentheses.

（1）Can you tell me how many foreign students there are in the Language Institute this year?（有）

你能告诉我 今年 语言学院有多少个留学生吗？

（2）Bill, there is someone knocking at the door.（有）

Bill，有人在敲门。

（3）As long as you like traveling, you can travel anytime you like.（只要……就……）

只要你喜欢旅游，就能随时旅游。

（4）The garden in spring is just like a sea of flowers.（像……一样）

春节的花园就像花海一样。

（5）I said that all your family should go to China, including you, of course.（包括）

我说你全家应该去中国，当然包括你。

17 判断下列句子的语法是否正确。
Decide whether the following statements are grammatically correct (✓) or wrong (×).

（1）他有多少岁数大？　　　　　　　　　　　　　（　　）

（2）中国人不叫长江"母亲河"。　　　　　　　　　（　　）

（3）只有天气好，我们就出去玩儿。　　　　　　　（　　）

（4）今年一共卖了一个 10 亿、两个 200 万、三个一千、584 本书。

（　　）

（5）我有 10 多本词典。　　　　　　　　　　　　　（　　）

18 根据本课"阅读与复述"中的短文内容判断正误。

Decide whether the following statements are true (T) or false (F) according to the passage in "Reading Comprehension and Paraphrasing" in this lesson.

（1）京杭大运河是世界上第三长的运河。　　　　　（　　）

（2）因为"隋炀帝"姓"杨"，所以人们把大运河两岸的柳

树叫"杨柳"。　　　　　　　　　　　　　　　（　　）

（3）现在，京杭大运河只有北段还能通航。　　　　（　　）

（4）政府从杭州把一部分水引到运河，再经过运河向北方

送水，这叫做"南水北调"。　　　　　　　　　（　　）

（5）等到大运河恢复通航以后，人们可以从北京坐船去扬州

旅游。　　　　　　　　　　　　　　　　　　　（　　）

19 回答问题。

Answer the following questions.

（1）你们国家最大的河流是什么？你们叫她什么？

（2）你参观过中国的哪些名胜古迹？你觉得怎么样？

（3）你会用汉语说大的数目吗？试着随便写出几个大数字，比如你们国

家的人口、面积等，然后读出来，并用它考一考你的朋友。

20 读短文，并完成下列练习。

Read the passages and do the following exercises.

（1）Complete the following statements according to the passage.

中国在亚洲东部，太平洋西岸。陆地南北有 5500 公里，东西有

5000 公里。中国国土面积是 960 万平方公里，比俄罗斯和加拿大小，居

世界第三位。中国地形是西高东低，平原少，山地多。

中国有 13 亿人口，56 个民族。新中国是 1949 年 10 月 1 日成立的，她的首都是北京。

生词　New Word

居　　　jū　　　hold (a position)

① 中国在＿＿＿＿＿东部，太平洋＿＿＿＿＿。
② 中国陆地从东到西有＿＿＿＿＿公里。
③ 新中国是＿＿＿年＿＿＿月＿＿＿日成立的。

（2）Answer the questions according to the passage.

光明顶是黄山第二高峰，海拔高度 1840 米。峰顶平坦，面积 6 万平方米。这里有华东地区海拔最高的黄山气象站。光明顶地势平坦，是黄山看日出、观云海的最好的地点之一。游客站在光明顶可以看到东、南、西、北海和天海，黄山五海的烟云都能看到！所以，人们常说：不到光明顶，不见黄山景。

生词　New Words

1	海拔	hǎibá	N	elevation
2	平坦	píngtǎn	A	flat
3	气象站	qìxiàngzhàn	N	weather station

问题　Questions

① 光明顶有多高？
1840 米

② 峰顶的面积有多少平方米？
6 万平方米

③ 人们常说什么？
不到光明顶，不见黄山景。

（3）Answer the questions according to the passage.

跟自然环境有关的地名

　　在中国，有很多省市的地名跟当地的自然环境有关。我们可以从地名中了解那个地方或者那儿的自然环境的变化。比如，中国有几个省的名字跟河流或湖泊有关，像"河南""河北""湖南""湖北"。"河南""河北"中的"河"是指黄河。这两个省分别在黄河的南部和北部。"湖南""湖北"中的"湖"是指洞庭湖，洞庭湖南部叫"湖南"，北部就叫"湖北"。

问题　Questions

① "河南""湖北"的名字是怎么来的？

② 你能猜出"河西走廊"中的"河西"是什么意思吗？

③ 在你们国家，有哪些地名与当地的自然环境有关？

---

21 根据本课课文完成马大为的日记。
Complete Ma Dawei's diary according to the texts in this lesson.

6月20日　多云

　　今天我爬了黄山。以前听别人说黄山的景色很美，有著名的云海、奇峰、松树，而且那里的景色常常变化。不知道真正的景色怎么样。早上八点，我们到了黄山脚下……就们开始爬山。我们一边爬，一边聊天儿。六七个小时后，我们终于来到了山峰。从山上往下看，白云就像大海一样。松树长在奇峰上，真是美极了！我希望再能回到这个又奇怪又漂亮的地方。

---

22 写一篇介绍你们国家的短文。（大约150字）
Write a short essay to introduce your country. (about 150 characters)

这样的问题现在也不能问了

Nowadays such questions are not supposed to be asked any more.

（复习　Review）

听说练习　Listening and Speaking Exercises

1 发音练习。
Pronunciation drills.

Read the following words or phrases aloud, paying special attention to the pronunciation of "zh, ch, sh, z, c, s".

zh——你的汉字写得真棒　一边学习，一边挣钱　照张相片

住房　竞争激烈

ch——怎么称呼　差不多　名不虚传　工程师　支持

受到老师的称赞　差了点儿

sh——你的汉语说得很地道　收入还可以　高新技术企业

欣赏黄山美景　……什么的

z——咱们　怎么办　我还在读书　你长得最漂亮　工资不高

比上不足　外资企业

c——还凑合　这次旅行怎么样　才知道这件事

s——你多大岁数　公司　工资不算太高　个人隐私问题

2 听问题，根据课文内容圈出正确的答案。
Listen to each question and circle the correct answer according to the texts.

① A. 宋华　　　Ⓑ 小马　　　C. 老马　　　D. 大马

② A. 岁数　　　　　　　　B. 在哪儿工作

Ⓒ 从哪个国家来中国　　　D. 结婚没有

③ A. 很高兴地回答　　　　B. 说别的事情，好像没听见

C. 不回答　　　　　　　Ⓓ 马马虎虎地回答

④ A. 叫他老马　　　　　　B. 问别人的隐私

C. 见面问"吃了吗？"　　　D. 叫外国人"老外"

⑤ A. 习惯　　　B. 关心　　　C. 好奇　　　D. 想做个朋友

3 听对话，并判断正误。

Listen to the following dialogue and decide whether the statements are true (T) or false (F).

① 女的要去北大找她的朋友。　　　　　　(T)

② 语言学院离这儿不太远。　　　　　　　(F)

③ 女的打算在语言学院学汉语。　　　　　(F)

④ 男的想知道在国外学汉语要交多少学费。 (T)

⑤ 女的说天气很热，是因为她真的觉得很热。(F)

4 听句子，并填空。

Listen and fill in the blanks.

① 咱们一起___往___上爬吧。

② 我看你的岁数___跟___我的差不多。

③ 你汉语说___得___真棒。

④ 那你得__一边__工作__一边__挣钱吧？

⑤ ___比___上不足，___比___下有余。

5 听句子，写拼音。

Listen and write the sentences in *pinyin*.

① _____

② _____

③ _____

④ _____

⑤ _____

6 听句子，写汉字。
Listen and write the characters.

① 工资收入还凑合

② 名不虚传

③ 真地道

④ 个人隐私

⑤ 够花了

7 角色扮演。
Role-play.

Listen to and imitate the dialogue together with your partner. Try to get the meaning of the dialogue with the help of your friends, teachers or dictionaries.

8 文化体验。
Culture experience.

请分别找一位中国朋友和一位本国朋友聊天儿，然后谈谈你与他们聊天儿的感觉。

读写练习　Reading and Writing Exercises

1 在空格里写汉字，注意汉字的部件。
Write the characters in the blanks, paying attention to the character components.

hū	口 + 乎	呼						
dú	讠 + 卖	读						
ò	口 + 我	哦						

第三十二课 （复习）这样的问题现在也不能问了 79

Lesson 32 （Review）Nowadays such questions are not supposed to be asked any more.

bàng	木 + 奉	棒							
zhèng	扌 + 争	挣							
jié	纟 + 吉	结							
hūn	女 + 昏	婚							
luò	纟 + 各	络							
gǎo	扌 + 高	搞							
zī	次 + 贝	资							
qǐ	人 + 止	企							
còu	冫 + 奏	凑							
xīn	斤 + 欠	欣							
lì	一 + 月 + 月	丽							
chuán	亻 + 专	传							
yǐn	阝 + 急	隐							
sī	禾 + 厶	私							
bèi	北 + 月	背							
qīng	氵 + 青	清							
chǔ	林 + 疋	楚							
yú	人 + 一 + 示	余							
gòu	句 + 多	够							

2 为下列词语标注拼音，并译成英文。

Mark *pinyin* for the following words and phrases and then translate them into English.

（1）说得真好　得看情况

_____

_____

（2）照相　互相

_____

_____

（3）名不虚传　自传

_____

_____

（4）地道　知道

_____

_____

（5）背包　后背

_____

_____

（6）妈妈　爸爸　哥哥　弟弟　姐姐　妹妹　舅舅　姑姑　爷爷　奶奶
　　刚刚　常常　轻轻　慢慢

_____

_____

3 为下列每组词语标注拼音，并译成英文。猜一猜没学过的词语的意思，并通过朋友、老师或词典来确认。

Mark *pinyin* for the following groups of words and phrases and then translate them into English. Try to guess the meanings of the words and phrases you haven't learned and then confirm them with the help of your friends, teachers or dictionaries.

（1）公园　公司　公费　公共

_____

_____

（2）游览　游泳　游行　游动　游玩

_____

_____

（3）老外　老公　老头儿

_____

_____

（4）还凑合　还可以　还不错　还行

_____

_____

4 根据所给拼音，把第一行和第二行的汉字连线组成词。

Match each of the following characters in the first line with that in the second to make a word according to the *pinyin* provided. Draw a line to connect the two.

yóulǎn　　chēnghu　　dúshū　　jiéhūn　　wǎngluò　　gōngzī

qǐyè　　còuhe　　xīnshǎng　　měilì　　yǐnsī　　qīngchu

称　　游　　结　　读　　工　　网　　凑　　企　　欣　　美　　清　　隐

婚　　书　　呼　　览　　合　　业　　资　　络　　楚　　私　　赏　　丽

5 选用正确的汉字填空。

Fill in the blanks with the correct characters.

（1）这是个人的隐 _私_ 。

他 _和_ 你都去。

（积　私　和）

（2）您 _往_ 里边走。

那是他的 _住_ 房。

（住　注　往）

（3）我没有听 _清_ 楚。

他 _请_ 你吃晚饭。

（请　清　情）

（4）他很_欣___赏这儿的景色。

她头疼，_所___以没有来。

（所　新　欣）

6 根据所给拼音，把括号里的汉字组成句子。

Organize the characters in the parentheses into Chinese sentences according to the *pinyin* given.

（1）Nǐ de suìshu gēn wǒ chàbuduō.

（岁数你的跟差不多我）

_____

（2）Tāmen chàbuduō bǎ gèrén de yǐnsī dōu wèndào le.

（把个人的问到了他们差不多都隐私）

_____

（3）Nǐ Hànyǔ shuō de zhēn bàng!

（说得你真棒汉语）

_____

（4）Wǒ bèi tāmen wèn de méi bànfǎ huídá.

（问得我被回答他们没办法）

_____

（5）Tā yě bú yuànyì bǎ tā de gōngzī qīngqīngchǔchǔ de gàosu wǒ.

（他也把工资不愿意告诉他的我清清楚楚地）

_____

7 根据拼音填汉字。

Fill in the blanks with the correct characters according to the *pinyin*.

大为刚 cóng_从___黄山回来，宋华问他这次旅行 zěnmeyàng_怎么样_。
大为说："好 jí_极___了！黄山的 jǐngsè_景色_很有特色。"但是，
他 duì_对___一位中国小伙子问他的个人 yǐnsī_隐私_问题很不舒服。
宋华告诉他，这是 biǎoshì_表示___对他的关心和友好。可是大为还是
rènwéi_认为___这些问题不应该问。

8 猜字谜。
Character riddle.

儿女双全。

（打一个汉字 The key is a character.）

Key to the riddle in Lesson 31： 生

9 用合适的动词填空。
Fill in the blanks with proper verbs.

（1）A：您怎么___称呼___？

　　B：叫我小马吧。

（2）这两瓶水够我___喝___了。

（3）你每个月___挣___多少钱？

（4）___搞___网络的，工资一定很高。

（5）这个词你___说___得很地道。

10 选择正确的答案。
Choose the correct answers.

（1）她能不能来参加晚会（party），得_____她心情好不好。

　　A. 想　　　　B. 听　　　　C.看　　　　D. 问

（2）我喜欢喝可乐_____。

　　A. 什么　　　B. 的　　　　C.什么的

（3）他学习已经_____努力了。

　　A. 不　　　　B. 要　　　　C.够　　　　D. 没

（4）他爸爸是唱京剧_____。

　　A.的　　　　B. 地　　　　C. 得

（5）你_____多穿一些衣服，外面很冷。

　　A. 的　　　　B. 地　　　　C.得

11 连接 I 和 II 两部分的词语，组成句子。

Make sentences by matching the words and phrases in Column I with those in Column II. Draw a line to connect each pair.

I	II
你怎么称呼？	真是名不虚传。
还凑合	地道。
黄山的景色	叫我小马好了。
"名不虚传"用得	是"马马虎虎"的意思。
他有点儿好奇，	就问得多了一点儿。

12 用所给词语组成句子。

Make sentences with the words and phrases given.

For example: 收入　我的　还可以 → 我的收入还可以。

（1）饭菜　今天　餐厅　做　还不错　的

　　→ _____

（2）两本　那　汉语　我的　课本　新　从　是　北京　买的

　　→ _____

（3）奶奶　热情地　我的　欢迎　到来　外国朋友　的

　　→ _____

（4）能不能　得　说好　把　那　汉语　看　是不是　练习　经常

　　→ _____

13 用所给词语造句。

Make sentences with the words and phrases given.

（1）把　车　停在门口

_____

（2）把　情况　介绍介绍

_____

（3）把 房间 打扫得干干净净

_____

（4）没把 考试 放在心上

_____

14 把下列句子改写为"把"字句。

Change the following sentences into " 把 "- sentences.

For example: 我打他。→ 我把他打了。

（1）水果放在盘子里。→ 把水果放在盘子里。

（2）汽车开到学校。→ 把汽车开到学校了。

（3）这篇文章翻译成英语。→ 把这篇文章翻译成英语。

（4）那个包裹寄给他爷爷。→ 把那个包裹寄给他爷爷了。

（5）晚饭已经做好了。→ 已经把晚饭做好了。

（6）书都搬进书房去了。→ 把书都搬到书房去了。

（7）你的自行车被小张骑走了。→ 小张把你的自行车骑走了。

（8）这个月的工资被妻子花完了。→ 妻子把这个月的工资花完了。

（9）那套西服被他穿脏了。→ 他把那套西服穿脏了。

（10）医生被我请来了。→ 我把医生请来了。

（11）你的名字被他写错了。→ 他把你的名字写错了。

15 用上括号里的词语，把下列句子译成中文。

Translate the following sentences into Chinese with the words and phrases given in the parentheses.

（1）Whether we can go abroad depends on our family.（看）

我们能不能出国得看我们的家庭。

（2）Would you like to take the child home?（把）

你要把孩子送回家吗？

（3）How should I address you?（称呼）

您怎么称呼？

（4）You should help her, otherwise she will fail in the exam.（得）（要不）

你得帮助她，要不她会考试不及格。

16 判断下列句子的语法是否正确。

Decide whether the following statements are grammatically correct (✓) or wrong (×).

（1）只要在网络公司工作，收入才不会低。　　　（　　）

（2）我的收入还凑合。　　　（　　）

（3）差不多把个人隐私都问到了。　　　（　　）

（4）大家走了差不多两个小时。　　　（　　）

（5）我不喜欢吃什么饺子、面条、馒头的。　　　（　　）

17 根据本课"阅读与复述"中的短文内容判断正误。

Decide whether the following statements are true (T) or false (F) according to the passage in "Reading Comprehension and Paraphrasing" in this lesson.

（1）以前，王兴想得最多的是怎么花钱。　　　（　　）

（2）现在他忙着学习，忙得没有休闲时间。　　　（　　）

（3）因为王兴老了，所以想去学习，让自己变得年轻一些。（　　）

（4）如果他再不学习，就一定会被淘汰。　　　（　　）

（5）妻子支持王兴，因为学习可以帮助王兴挣更多的钱。　（　　）

18 回答问题。

Answer the following questions.

（1）你喜欢和别人聊天儿吗？

（2）你的中国朋友对聊什么感兴趣？你呢？

（3）当你不想回答别人的问题时，你怎么办？

19 读短文，并完成下列练习。

Read the passages and do the following exercises.

（1）Translate the following words according to the passage.

　　迎客松在黄山光明顶上，是有名的景点。人们非常欣赏它那张开双臂热情欢迎客人的样子。黄山迎客松已有1000多年的树龄（shùlíng）。从1983年开始，每天有专人守护（shǒuhù），先后已经有13位守护员跟迎客松一起度过了近20年的岁月（suìyuè）。在精心护理下，这棵千年名松现在仍然（réngrán）枝叶茂盛（màoshèng）。

① 树龄 _____

② 守护 _____

③ 岁月 _____

④ 仍然 _____

⑤ 茂盛 _____

（2）Complete the statements according to the passage.

　　有位老画家特别喜欢画梅花。朋友家有个三四岁的女孩子常来看老画家画梅花。

　　有一天，女孩很高兴地对爸爸妈妈说，老爷爷答应给她画一幅梅花。妈妈给她准备了一张白纸，女孩把它交给了老画家。一会儿，老画家就在纸上画出了一枝美丽的梅花。女孩看着画问老画家："爷爷，这梅花什么时候结水果？"老画家看了看孩子，笑着说："明天。"女孩说了一声"谢谢爷爷"，就拿着画跑回家去了。

　　没想到第二天，女孩真的又拿着画来找老画家。"爷爷，今天梅花该结水果了吧？"她要老画家给她画水果。梅花是不结果子的，可是老画家昨天答应过她。虽然是开玩笑的话，但孩子是认真的。所以，老画家就在那枝梅花上又画上了许多果子。小孩子满意地笑了。老画家自己也笑了。他画了一幅从来没有人画过的《梅花结子图》。

生词　New Words

1	梅花	méihuā	N	plum blossom
2	答应	dāying	V	agree, promise

①老画家＿＿＿＿＿画梅花。

②朋友家＿＿＿＿＿的女孩常来看老画家画画儿。

③妈妈给她＿＿＿＿＿了一张白纸。

④老画家给她画了一枝＿＿＿＿＿的梅花。

（3）Discuss the question according to the passage.

　　我有急事要回报社，没有买票，就急急忙忙地上了火车。这时，列车长过来了，我正要找他，前面一个年轻人把他喊住了，问他："列车长，还有卧铺票没有？我是记者，能不能照顾一下？"说着就拿出记者证给列车长看。列车长接过他的记者证，看了看说："硬卧票没有了，软卧票还有，你要不要？"

　　"要！要！"那个年轻人高兴地说。

　　列车长说："我给你写个铺号，你到七号车厢找列车员补票交钱。"那个年轻人拿着铺号走了。我也拿出记者证对列车长说："列车长，我也是记者，还有软卧票吗？"列车长把我的记者证看了看，问我："你也是《江城日报》的记者，刚才补票的那位年轻人也是你们报社的记者，你们不是一起的？"

　　我回答说："不是的。我们报社大，人多，很多人都互相不认识。"列车长听了，没再问什么，也给了我一个卧铺号。他对我说："你跟他都在二车厢6号房，这次你们有机会互相认识认识了。"

　　我先到七号车厢交了钱，补了票，然后才到二车厢6号房。那个年轻人正在听着音乐喝茶呢！我看了看他，觉得他不是我们报社的人。我想了想，就拿出记者证对那个年轻人说："我是《江城日报》的，听说你也是我们报社的记者，我怎么好像没见过你？"那个年轻人站起来跟我说："大哥，老实告诉您，我不是你们报社的，我是做生意的。那个记者证是我花二百元钱在广州买的。因为我跑生意要常坐车，用记者证买票方便些。不过，我从来没有用假记者证干过别的违法的事。"说完，他就把自己的身份证给我看，还说："请你记下我的地址和身份证号码，不信，你们可以去调查。"

我心里想："如果他说的话是真的，他用假记者证只是为买火车票，那么，这种人是不是犯了诈骗罪呢？"

生词　New Words

1	列车长	lièchēzhǎng	N	head of a train crew
2	照顾	zhàogù	V	offer preferential treatment
3	硬卧票	yìngwòpiào	N	hard sleeper ticket
4	软卧票	ruǎnwòpiào	N	soft sleeper ticket
5	老实	lǎoshi	A	honest, frank
6	生意	shēngyi	N	business, trade
7	违法	wéifǎ	V	break the law
8	诈骗罪	zhàpiàn zuì		crime of fraud

Discuss:

那个年轻人是不是犯了诈骗罪？

（4）Answer the questions according to the passage.

中国人有没有隐私？

外国朋友常常对中国人的"直率"觉得不能理解。比如说，路上见面，中国人常常用"吃了吗""你去哪儿"来打招呼。第一次见面，有的中国人就可能问对方的年龄、收入、家庭情况、身高体重等个人隐私问题。所以，很多外国人认为中国人没有个人隐私。中国人是怎么想的呢？在中国，朋友之间互相问问对方的近况，包括生活、家庭、身体健康等，是表示互相关心。如果两个中国人见面只说"今天天气好"，会让人觉得不够热情，或者不是朋友跟朋友聊天儿。那么，中国人有没有隐私呢？当然有。在中国，一般不愿意让别人知道的个人的事情，或者是家庭里发生的不好的事情，别人也不会去问。还没结婚的青年男女，一般也不互相问年龄或者有没有朋友。

生词　New Word

直率　　zhíshuài　　A　　frank, candid

问题　Questions

① 外国朋友可能对一些中国人的什么样的习惯不理解？

直率

② 中国人通常用哪些方式打招呼？这样问表示什么？

他们通常用"吃了吗""你去哪儿"打招呼。这样表示关心。

③ 如果两个中国人只谈天气，这说明什么？

这说明不够热情，或者不是朋友跟朋友聊天儿。

④ 中国人有隐私吗？

有

⑤ 你认为个人隐私包括哪些内容？

岁数、挣多少钱、结婚没有

20　根据本课课文完成马大为的日记。
Complete Ma Dawei's diary according to the texts in this lesson.

7月2日　小雨

今天，我在黄山认识了一个中国朋友，他问了我许多我不愿意回答的问题。我真不知道他为什么这么关心别人的个人隐私问题。……

如果别人不想说，这些问题就不能问。我把这件事情告诉宋华了。他告诉我中国人这样问只表示友好和关心。他说中国人以前收入都不太高，收入是最重要的一件事儿，所以互相问工资是表示关心。

保护环境就是保护我们自己

Protecting the environment means protecting ourselves.

 听说练习 Listening and Speaking Exercises

1 发音练习。
Pronunciation drills.

Read the following words or phrases aloud, paying special attention to the pronunciation of "j, q, x, zh, ch, sh".

j——决定上大学　保护环境　建立自然保护区　条件还可以
　　解决问题　教室里很安静

q——空气很好　过期罚款　母亲节快乐　去银行换钱
　　请全体起立　邮局在前边

x——喜欢看戏　练习和复习　继续上课　见到你很高兴
　　旗袍和西服　亚洲和非洲的关系

zh——照相机　注意污染　既认真又热情　今年春天天气不正常
　　　职业病　看展览

ch——名不虚传　差不多　商场里人很少　成都和重庆
　　　不到长城非好汉　火车上的售票员

sh——上床睡觉　考试很简单　这件衣服很舒服　老师和教授
　　　圣诞节　晚上　中华武术

2 听问题，根据课文内容圈出正确的答案。
Listen to each question and circle the correct answer according to the texts.

7
2~7

① A. 香山　　　B. 万寿山　　　Ⓒ 灵山　　　D. 景山

② Ⓐ 陆雨平　　B. 王小云　　　C. 林娜　　　D. 宋华

③ A. 泰山　　　B. 黄土高原　　　Ⓒ 西藏高原　　　D. 黄山

④ A. 国家公园　　　B. 游乐园　　　C. 动物园　　　Ⓓ植物园

⑤ Ⓐ女科学家　　　B. 女外交官　　　C. 女记者　　　D. 女文学家

3　听对话，并判断正误。

Listen to the following dialogue and decide whether the statements are true (T) or false (F).

① 女的觉得山很高。　　　　　　　　　　（ T ）

② 女的爬不上去了。　　　　　　　　　　（ F ）

③ 男的不知道这座山的名字。　　　　　　（ F ）

④ 男的说灵山是北京最高的地方。　　　　（ T ）

⑤ 山太高，他们不想上去了。　　　　　　（ F ）

4　听句子，并填空。

Listen and fill in the blanks.

① 他歌唱＿＿得＿＿很好。

② 你还爬得＿＿上来＿＿吗？

③ 我回答不＿＿出来＿＿了。

④ 女科学家＿＿建立＿＿了藏趣园。

⑤ 植树节的消息登出来＿＿了＿＿没有？

5　听句子，写拼音。

Listen and write the sentences in *pinyin*.

① ＿＿＿＿＿＿＿＿＿＿＿＿＿＿＿＿＿＿

② ＿＿＿＿＿＿＿＿＿＿＿＿＿＿＿＿＿＿

③ ＿＿＿＿＿＿＿＿＿＿＿＿＿＿＿＿＿＿

④ ＿＿＿＿＿＿＿＿＿＿＿＿＿＿＿＿＿＿

⑤ ＿＿＿＿＿＿＿＿＿＿＿＿＿＿＿＿＿＿

6 听句子，写汉字。
Listen and write the characters.

① 去 植 树

② 登 消息

③ 过 夏令营

④ 再 研究 研究

⑤ 解 决 污染 问题

7 角色扮演。
Role-play.

Listen to and imitate the dialogue together with your partner. Try to get the meaning of the dialogue with the help of your friends, teachers or dictionaries.

8 文化体验。
Culture experience.

从网上找一些有关环境保护的文章，然后向你的同学作介绍。

9 快速读出下面的句子。
Try to read the following sentence as quickly as you can.

早饭吃得饱，午饭吃得好，晚饭吃得少。

读写练习　*Reading and Writing Exercises*

1 在空格里写汉字，注意汉字的部件。
Write the characters in the blanks, paying attention to the character components.

bǎo	亻+ 口 + 木	保							
huán	王 + 不	环							

jìng	土 + 竟	境							
kē	禾 + 斗	科							
yuán	厂 + 白 + 小	原							
zhí	木 + 直	植							
lìng	今 + 、	令							
yíng	艹 + 冖 + 吕	营							
jì	日 + 无	既							
jiē	扌 + 立 + 女	接							
shòu	爫 + 冖 + 又	受							
yù	亠 + 厶 + 月	育							
jì	纟 + 米 + ㄴ	继							
xù	纟 + 卖	续							
yán	石 + 开	研							
jiū	穴 + 九	究							
yí	禾 + 多	移							
líng	彐 + 火	灵							
dēng	癶 + 豆	登							
jué	冫 + 夬	决							
wū	氵 + 亏	污							

rǎn	氵+九+木	染							
shā	氵+少	沙							
mò	氵+艹+日+大	漠							
kào	告+非	靠							
jìn	斤+辶	近							
guān	宀+吕	官							

2 为下列词语标注拼音，并译成英文。

Mark *pinyin* for the following words and phrases and then translate them into English.

（1）教汉语　受教育

（2）都市　都是

（3）空气　空白

（4）种树　种类

3 为下列每组词语标注拼音，并译成英文。猜一猜没学过的词语的意思，并通过朋友、老师或词典来确认。

Mark *pinyin* for the following groups of words and phrases and then translate them into English. Try to guess the meanings of the words and phrases you haven't learned and then confirm them with the help of your friends, teachers or dictionaries.

（1）植物　动物　人物　生物　食物　物理

_____

_____

（2）移植　种植　植树

_____

_____

（3）鱼网　上网　网吧　网球

_____

_____

（4）初一　初二　初九　初十　第一　第二　第三　第十一

老张　老李　老大　老二　老鼠　老虎　老板　老婆　老公

老师　阿姨

_____

_____

_____

4 根据所给拼音，把第一行和第二行的汉字连线组成词。

Match each of the following characters in the first line with that in the second to make a word according to the *pinyin* provided. Draw a line to connect the two.

bǎohù　　huánjìng　　kēxué　　gāoyuán　　jiànlì　　zhíwù

jiēshòu　　jiàoyù　　jìxù　　yánjiū　　jiějué　　wūrǎn

保　科　环　建　高　植　教　接　继　研　污　解

学　境　护　物　育　立　原　续　染　决　受　究

5 选用正确的汉字填空。

Fill in the blanks with the correct characters.

（1）每个人都要保护____环____境。

他的汽车可能____坏____了。

（杯　坏　环）

（2）您来解____决____这个问题。

那是一____块____大蛋糕。

（块　快　决）

（3）他口语成____绩____不错。

你要____继____续努力。

（继　积　绩）

（4）他确____实____很忙。

哪儿____买____名牌电视？

（买　卖　实）

（5）他爱好体育____活____动。

明天去参观的人不包____括____他。

（话　活　括）

6 根据所给拼音，把括号里的汉字组成句子。

Organize the characters in the parentheses into Chinese sentences according to the *pinyin* given.

（1）Wǒmen yě gǎnjué de chūlái.

（感觉也得我们出来）

_____

（2）Tā kěnéng hái kàn bu dǒng.

（可能他不懂还看）

_____

（3）Xiànzài rénrén dōu guānxīn Běijīng de lǜhuà.

（都关心现在北京人人的绿化）

_____

（4）Shāmò zhèng yì nián yì nián de xiàng Běijīng kàojìn.

（正一年一年沙漠地靠近向北京）

_____

（5）Wǒ xiě de Zhíshù Jié de xiāoxi dēng chūlai le.

（植树节我写的登了的出来消息）

_____

7 根据拼音填汉字。

Fill in the blanks with the correct characters according to the *pinyin*.

　　灵山的藏 qù _趣_ 园是一位女科学家 jiànlì _建立_ 的植物园。那里的自然环境 gēn _跟_ 西藏高原 chà _差_ 不多。年年都有很多中小学生去那儿 guò _过_ 夏令营。他们 jì _既_ 能欣赏自然景色，又能接受环 jìng _境_ 保护的教育。林娜他们也去了那里。他们很关心环保问题。陆雨平还 wèi _位_ 北京的植树节写了一篇消息。他说："Zhòng _种_ 树是保护环境的重要办法之一。北京有不少种 jì _纪_ 念树的活动。大家不 dàn _但_ 要把树种上，而且棵棵都要种活。我的文 zhāng _章_ 就是写一位非洲外交官带着全家人参加种树的事儿。在北京的外交官们都喜欢一家一家地去 cān _参_ 加种树的活动。"

8 在"口"字的上、下、左、右添加汉字部件，组成以前学过的汉字。

Add character components to each side of the character "口" to form the characters we have learned.

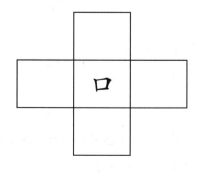

9 用合适的动词填空。

Fill in the blanks with proper verbs.

（1）陆雨平说："车上不去了，请下车吧！我把车 停 好，马上就来。"

（2）林娜和同学们一步一步地 爬 上灵山。

（3）那位女科学家 想 出了一个好主意。

（4）林娜说她现在还不一定 看 得懂中文的长文章。

（5）他写的植树节的消息在报上 登 出来了。

（6）照片上一棵一棵的小树 排 得多整齐啊！

10 选择正确的答案。

Choose the correct answers.

（1）沙漠正一年一年地_____北京靠近。

    Ⓐ 向　　　　　B. 从　　　　　C. 跟　　　　　D. 和

（2）北京市_____努力解决空气污染的问题。

    Ⓐ 正在　　　　B. 很　　　　　C. 已经　　　　D. 可能

（3）一棵一棵的　小树排_____多整齐啊！

    A. 很　　　　　Ⓑ 得　　　　　C. 的　　　　　D. 地

（4）现在人人_____关心北京的绿化。

    A. 太　　　　　B. 还　　　　　C. 也　　　　　Ⓓ 都

11 连接 I 和 II 两部分的词语，组成句子。

Make sentences by matching the words and phrases in Column I with those in Column II. Draw a line to connect each pair.

I	II
他想去藏趣园	拍得很好。
张张照片都	听不懂老师的话？
你听得懂	参观。
我们一步一步地	应该接受环境保护的教育。
中小学生们	往上爬。

12 用所给词语组成句子。

Make sentences with the words and phrases given.

For example: 说 好 他 得 汉语 很 → 他汉语说得很好。

（1）你 这些 记 住 得 吗 生词

→ _____

（2）这些 吃 吃不完 得 完 菜 你

→ _____

（3）看 了 没有 你 出来

→ _____

（4）他 过 春节 年年 回家 都

→ _____

（5）球门 小 踢 进去 不 太

→ _____

13 用所给词语造句。

Make sentences with the words and phrases given.

（1）听 得 出来

_____

（2）搬 得 进去

_____

（3）买 得 到

_____

（4）爬 不 上去

_____

（5）跑 不 回去

_____

14 判断下列句子的语法是否正确。

Decide whether the following statements are grammatically correct (✓) or wrong (×).

（1）你爬得去吗？ （ ）

（2）这么多生词你是怎么记住的？ （ ）

（3）我现在还不一定看懂中文的长文章。 （ ）

（4）力波既会说英语，又会说日语。 （ ）

15 根据本课"阅读与复述"中的短文内容判断正误。

Decide whether the following statements are true (T) or false (F) according to the passage in "Reading Comprehension and Paraphrasing" in this lesson.

（1）熊猫只生活在中国东部的一些地方。 （ ）

（2）大熊猫是中国的"国宝"之一。 （ ）

（3）"我"的国家也有大熊猫，但很少。 （ ）

（4）"我"昨天和一位中国朋友去了北京动物园。 （ ）

（5）美美和田田成了中国人民的友好"使者"。 （ ）

16 回答问题。

Answer the following questions.

（1）你关心环境保护问题吗？

我关心环境保护问题。

（2）你最担心的环保问题是什么？

我最担心的环保问题是空气污染。很多大都市的空气污染十分严重，常常见不到蓝天。

（3）你平时是怎样保护环境的？

我上学的时候差不多都会坐地铁。这样会减少使用私家车，也会减少汽车尾气排放。

（4）你同意"保护环境就是保护我们自己"这种看法吗？

我同意。空气污染对人们的身体健康有很多不良的影响，比如会导致肺部疾病，过敏等问题。

（5）你认为有什么好办法可以更好地保护我们的环境？

我认为我们可以多种树。北京有不少种纪念树的活动，比如说，种结婚纪念树、生日纪念树什么的。大家不但要把树种上，而且棵棵都要种活。

17 读短文，并完成下列练习。

Read the passages and do the following exercises.

（1）Translate the following words according to the passage.

从 2003 年 6 月起，北京市绿化有了新规定（guīdìng）：今后在新建大型绿地时，绿地率（lǜdìlǜ）不能低于（dī yú）60%，乔木树种不能低于 70%，没有树的草坪不能超过 30%，要"多种树、种大树"。这是北京市政府明确（míngquè）规定的。

生词　New Word

乔木　　　　　　qiáomù　　　　N　　　arbor

① 规定 _____

② 绿地率 _____

③ 低于 _____

④ 明确 _____

（2）Answer the questions according to the passage.

城市绿地跟环境保护

城市绿地是城市环境保护的重要组成部分。一定的绿地不但可以美化城市，而且可以减轻环境污染。绿色植物是地球上的环保工厂。它们吸收二氧化碳，放出氧气，让城市有新鲜的空气。一个风景美丽的城市应该有城市绿地。这样，城市里的人们既能欣赏到大自然的美景，又能有一个很好的生活环境。

生词　New Words

1	减轻	jiǎnqīng	V	lighten, ease
2	地球	dìqiú	N	the earth, the globe
3	二氧化碳	èryǎnghuàtàn	N	carbon dioxide
4	氧气	yǎngqì	N	oxygen

问题　**Questions**

① 城市绿地有什么作用？

　　城市绿地可以美化城市，也可以减轻环境污染。

② 为什么说绿色植物是地球上的环保工厂？

　　因为它们吸收二氧气，让城市有新鲜的空气。

③ 为什么一个风景美丽的城市应该有城市绿地？

　　因为城市里的人们既能欣赏到大自然的美景，又能有一个很好的生活环境。

（3）Answer the questions according to the passage.

　　内蒙有一座小山叫西梁山，离北京有 300 公里。18 年前，这座面积 3400 多亩的小山上连一棵树都没有。现在这里已经变成了一座绿山。这是一位农民和他的妻子，带着 11 岁的孩子，用汗水浇灌出来的。这位农民就是西山村的唐汉。

　　1985 年春天，37 岁的唐汉把家搬到了西梁山上。那时候村里有人说："唐汉放着好好儿的日子不过，跑到山上去喝西北风，一定是脑筋有问题！"唐汉说："沙漠化这么厉害，咱现在吃点儿苦、受点儿累，把沙治好，可以让子孙过上好日子。"他对村长说："不把这座山绿化了，我决不下山！"

　　他们一家三口住在西梁山上的一间小屋里。早上起来，鼻子里、嘴里全是沙子。这还是小问题，更困难的是喝水。他们要到山下拉水，来回有八九里路，拉一车水差不多要花半天时间。

　　最难的还是种树不容易活。他们先种的是白榆，还没等树苗发芽，山风就把树根刮出来了。唐汉对妻子说："种白榆不行，咱们就种山杏。"他们就把山杏种子种了下去。过了半个月，山杏种子都发芽了，一家人都很高兴。到了冬天，大风一刮，1000 多棵山杏苗又都死了。

　　第二年春天，他们又改种黄沙柳。树种下去以后，过了几天，唐汉在沙柳枝上发现了嫩芽。"黄沙柳活了！"他高兴得大喊大叫。一家人看到了希望!

　　18 年的汗水终于改变了西梁山的环境，沙丘变成了绿山。唐汉一家也富起来了。

生词　New Words

①	亩	mǔ	M	*mu*, a traditional unit of area
②	浇灌	jiāoguàn	V	irrigate
③	脑筋	nǎojīn	N	brains, mind, head
④	厉害	lìhai	A	terrible, formidable
⑤	白榆	báiyú	N	Sibiria Elm
⑥	发芽	fāyá	V	germinate, sprout
⑦	山杏	shānxìng	N	Prunus Sibirica
⑧	黄沙柳	huángshāliǔ	N	a kind of willow that can grow in desert
⑨	嫩芽	nèn yá		tender bud

问题　Questions

① 唐汉一家在山上的生活怎么样?

② 为什么 1000 多棵山杏苗都死了?

③ 唐汉干了多少年才绿化了西梁山?

18　仿照例子，用汉语写一封关于环保的信。

Imitating the example, write a letter in Chinese on environmental protection.

语言学院环保协会的同学们：

　　你们好!

　　我是一名外国学生。我很关心北京的环境保护问题。前几天我在报上看到了北京种纪念树的消息。现在人人都关心北京的绿化，我很高兴。我建议这个周末或者下个周末，我们学校的同学去西山植树。

保护环境是非常重要的事。让我们一起努力吧！因为保护环境就是保护我们自己！

林娜

2011.6.15

19 用下列词语写一篇关于环保的小短文（至少用 8 个）。

Write a short essay on environmental protection with at least 8 words and phrases from the following list.

保护　环境　空气　绿化　植物　种植　植树　移植　沙漠　污染

解决　担心　参观　欣赏　游览　景色　风景　自然　既……又……

跟……有 / 没关系

神女峰的传说
The legend of Shennü Peak

听说练习 Listening and Speaking Exercises

1 发音练习。
Pronunciation drills.

Read the following words or phrases aloud, paying special attention to the pronunciation of "zh, ch, sh, z, c, s".

zh —— 帮助小学生　抓住树枝　中文专业　重要的事情
　　　六十分钟　尊重老师　好主意

ch —— 常常生病　春天的早上　四川成都　怎么称呼　古代传说
　　　厨房和餐厅

sh —— 三峡山水　接受教育　首都北京　名胜古迹　司机师傅
　　　上山下山　友谊的使者

z —— 租房子　做作业　民族特色　藏族的医生
　　　医务室的工作人员　实在不舒服

c —— 凑合　蔬菜和水果　怎么才来　参观植物园　下次再说吧
　　　喜欢四川菜

s —— 颜色不错　打扫宿舍　真不好意思　参加世界比赛
　　　西藏的景色　入乡随俗

2~7

2 听问题，根据课文内容圈出正确的答案。
Listen to each question and circle the correct answer according to the texts.

① A. 小燕子　　Ⓑ 马大为　　　C. 丁力波　　　D. 王小云

② Ⓐ 带了　　　B. 没带

③ A. 医院　　　B. 药店　　　Ⓒ 医务室　　　D. 朋友那儿

4 Ⓐ 刮风　　　　　B. 下雨　　　　　C. 晴朗　　　　　D. 阴天

5 A. 吃饭　　　　　B. 看电视　　　　C. 聊天儿　　　　Ⓓ 睡觉

3 听对话，并判断正误。

Listen to the following dialogue and decide whether the statements are true (T) or false (F).

① 他们吃了很多辣的东西。　　　　　　　（ T ）

② 女的觉得空气都有辣味儿了。　　　　　（ F ）

③ 他们已经到神女峰了。　　　　　　　　（ F ）

④ 男的没听过神女峰的传说。　　　　　　（ F ）

⑤ 女的知道神女峰的传说。　　　　　　　（ T ）

4 听句子，并填空。

Listen and fill in the blanks.

① 他晕得___连___可乐也不想喝了。

② 刚才我睡___着___了。

③ 妈妈从早到晚___为___我忙。

④ 你___又___在说好听的了。

⑤ 林娜明天不去长城，她上星期已经去过了。
___再说___，她明天还有别的事。

5 听句子，写拼音。

Listen and write the sentences in *pinyin*.

① _____

② _____

③ _____

④ _____

⑤ _____

6 听句子，写汉字。
Listen and write the characters.

① 辣不怕

② 坐游船

③ 很久很久以前

④ 好像一幅中国山水画

⑤ 过几年，再来游览三峡

7 角色扮演。
Role-play.

Listen to and imitate the dialogue together with your partner. Try to get the meaning of the dialogue with the help of your friends, teachers or dictionaries.

8 文化体验。
Culture experience.

你知道一些中国的传说吗？说给你的朋友们听听。

9 试着快速读出下列句子。
Try to read the following sentences as quickly as you can.

四是四，十是十。十四不是四十四，你说是不是？

10 阅读下列材料，并和你的同伴做问答练习。
Read the following information and do question-and-answer exercises with your partner.

三峡工程（gōngchéng）——世界上最大的水利工程

三峡大坝：

长：2335米　　底宽：115米　　顶宽：40米　　高：185米

三峡水库：

全长：600多千米　　平均宽度：1.1千米

工程分期（共 17 年）：

一期工程：1993 年——1998 年

二期工程：1999 年——2003 年

三期工程：2004 年——2009 年

读写练习　Reading and Writing Exercises

1 在空格里写汉字，注意汉字的部件。

Write the characters in the blanks, paying attention to the character components.

yūn	曰 + 冖 + 车	晕					
chuán	舟 + 几 + 口	船					
là	辛 + 束	辣					
jiǎng	讠 + 井	讲					
wèi	口 + 未	味					
lián	车 + 辶	连					
guā	舌 + 刂	刮					
liáng	冫 + 京	凉					
shén	礻 + 申	神					
chuān	丿 + 丨 + 丨	川					
hú	氵 + 古 + 月	湖					
xiá	山 + 夹	峡					
mí	米 + 辶	迷					

shī	讠+寺	诗							
àn	山+厂+干	岸							
yuán	犭+袁	猿							
tí	口+帝	啼							
bà	圡+贝	坝							
lǐ	木+子	李							

2 为下列词语标注拼音，并译成英文。

Mark *pinyin* for the following words and phrases and then translate them into English.

（1）可乐　音乐

_____

_____

（2）找不着　看着电视

_____

_____

（3）干什么　洗干净

_____

_____

3 为下列每组词语标注拼音，并译成英文。猜一猜没学过的词语的意思，并通过朋友、老师或词典来确认。

Mark *pinyin* for the following groups of words and phrases and then translate them into English. Try to guess the meanings of the words and phrases you haven't learned and then confirm them with the help of your friends, teachers or dictionaries.

（1）头晕　晕车　晕船　晕机

_____

_____

（2）坐船　船票　船长　船员

（3）医务室　售票室　办公室

（4）古诗　新诗　诗人　作诗

（5）刀子　叉子　杯子　盘子　筷子　瓶子　桌子　椅子　妻子
　　　儿子　孙子　孩子　房子　嗓子　本子　样子　棋子　小伙子

（6）花儿　画儿　事儿　大声儿　座儿　个儿

（7）石头　木头　骨头　里头　外头　上头　下头　前头　后头

（8）记者　作者　译者　读者　学者　长者　爱好者　工作者　旅游者

（9）绿化　美化　老化　年轻化　科学化　简单化

（10）画家　作家　专家　文学家　科学家　艺术家　音乐家　舞蹈家　演奏家

---

4 根据所给拼音，把第一行和第二行的汉字连线组成词。

Match each of the following characters in the first line with that in the second to make a word according to the *pinyin* provided. Draw a line to connect the two.

yùnchuán　　guāfēng　　yèli　　chuánshuō　　láiwǎng　　kělè

mízhù　　qīngzhōu　　měilì　　wánxiào　　zhàogù

晕　刮　夜　传　来　可　美　迷　轻　玩　照

里　说　船　风　丽　住　往　乐　顾　舟　笑

5 为下列加点的汉字标注拼音，并将整个句子译成英文。

Mark *pinyin* for the following characters with dots and then translate the whole sentences into English.

（1）马大为很喜欢中国音乐 __yuè__ 。

他不想喝可乐 __lè__ 。

David Ma really likes Chinese music. He doesn't want to drink Coke.

（2）这支名牌毛笔很好 __hǎo__ 用。

他爱好 __hào__ 唱京剧。

This famous brand of writing brush is very easy to use. His hobby is singing Peking Opera. hobby

（3）他每天都是晚上十点半睡觉 __jiào__ 。

我觉 __jué__ 得这事儿比较麻烦。

He sleeps at 10.30pm everyday. I think this thing is quite troublesome.

（4）轻舟已过万重 __chóng__ 山。

这个包裹很重 __zhòng__ 。

The boat has flown away past tens of thousands of hills. This package is very heavy!

（5）君子兰长 __zhǎng__ 得很好。

休息的时间不长 __cháng__ 。

The Kaffir lily grows very well. Rest time is not long.

6 根据所给拼音，把括号里的汉字组成句子。

Organize the characters in the parentheses into Chinese sentences according to the *pinyin* given.

（1）Nǐ Sìchuān cài chī de hěn gāoxìng a.

（吃得你四川菜高兴很啊）

_____

（2）Yùnchuán de yào nǐ chīle méiyǒu?

（的晕船药没有你吃了）

_____

（3）Gāngcái wǒ shuìzháo le.

（睡着刚才我了）

_____

（4）Chuán hǎoxiàng tíngzhù le.

（好像停住船了）

_____

（5）Wǒ hái jìzhù liǎng jù Lǐ Bái de shī.

（还记住我李白两句的诗）

_____

（6）Zhèr lián kōngqì yě yǒu là wèir.

（连空气这儿也味儿有辣）

_____

7 根据拼音填汉字。

Fill in the blanks with the correct characters according to the *pinyin*.

小燕子和马大为去游 lǎn **览** 三峡。他们一路上吃了不少很 là **辣** 的菜，大为又 yùn **晕** 船，所以很不 shū **舒** 服。小燕子去医务室要了晕船 yào **药** 。大为吃了药，又 shuì **睡** 了一觉，很快就好了。三峡的景色美得好像一 fú **幅** 中国山水画。大为说他被美丽的神女和从早到晚为他忙碌（mánglù, be busy, bustle about）的小燕子 mí **迷** 住了。小燕子还 gěi **给** 大为讲了神女峰的传说。

8 在"木"字的上、下、左、右添加汉字部件，组成以前学过的汉字。

Add character components to each side of the character "木" to form the characters we have learned.

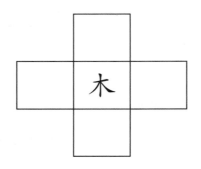

（Key to Exercise 8 in Lesson 33：号足, 古台名各右, 咱吃喝咖啡唱吗吧呢, 和知加）

9 用合适的动词填空。

Fill in the blanks with proper verbs.

（1）他不能坐船，因为他___晕___船。

（2）小燕子给大为___讲___了神女峰的传说。

（3）我不记得把书___放___在哪儿了。

（4）___刮___风了，外边有点儿凉。

（5）别___提___了，昨天的考试特别难。

10 选择正确的答案。

Choose the correct answers.

（1）快考试了，_____不能再玩儿了。

　　A. 能　　　　B. 可　　　　　C. 可以　　　　　D. 会

（2）别提了，昨天我_____晕了。

　　A. 很　　　　B. 是　　　　　C. 非常　　　　　D. 十分

（3）爸爸_____早_____晚为工作忙。

　　A. 既……又……　　　　　　B. 不但……而且……

　　C. 一边……一边……　　　　D. 从……到……

（4）刮风了，外边有点儿凉，你_____别出去。

　　A. 可能　　　　B. 可以　　　　C. 可　　　　D. 还

（5）过几年你_____来游览三峡，还会看到新的景色。

Ⓐ再　　　　　B. 又　　　　　C. 就　　　　　D. 才

11 连接Ⅰ和Ⅱ两部分的词语，组成句子。

Make sentences by matching the words and phrases in Column I with those in Column II. Draw a line to connect each pair.

Ⅰ
我站起来
我觉得
三峡
我头晕
李白的那首诗

Ⅱ
全身都不舒服。
好点儿了。
就头晕。
实在是太美了。
我记住了两句。

12 用所给词语组成句子。

Make sentences with the words and phrases given.

For example: 说　好　他　得　汉语　很 → 他汉语说得很好。

（1）吃　可　不　这么辣的菜　下去　我

→ _____

（2）可乐　味儿　的　不对了　也

→ _____

（3）你　吃　什么　点儿　应该

→ _____

（4）今天　点儿　你　吧　了　好

→ _____

（5）我们　吧　欣赏　景色　三峡　来　一起

→ _____

13 用所给词语造句。
Make sentences with the words and phrases given.

（1）拿得住：_____

（2）等得着：_____

（3）站不住：_____

（4）买不着：_____

（5）睡不着：_____

14 把下列肯定句变为否定句。
Change the positive sentences into negative ones.

For example: 刚才我睡着了。→ 刚才我睡不着。

（1）李白的那首诗我记住了。→ 李白的那首诗我记不住。

（2）我找着我的书了。→ 我找不着我的书。

（3）这种衣服一定买得着。→ 这种衣服一定买不着。

（4）东西不大，我拿得住。→ 东西不大，我拿不住。

（5）我看得见黑板。→ 我看不见黑板。

15 用上括号里的词语，把下列句子译成中文。
Translate the following sentences into Chinese with the words and phrases given in the parentheses.

（1）She is singing a love song.（首）

她正在唱一首情歌。

（2）The wind is blowing hard tonight.（刮）

今天晚上风刮得很大。

（3）I'd like to go, but I'm not sure if I can find time.（又）

我想去，可是又不知道如果能找到时间。

（4）She bought a lot of beautiful flowers for her mother on Mother's Day.（为）

母亲节的时候，她为她的妈妈买了很多美丽的花儿。

（5）I'm looking for my bag, but I can't find it.（找不着）

我正在找我的包，但是我找不着。

16　判断下列句子的语法是否正确。

Decide whether the following statements are grammatically correct (✓) or wrong (×).

（1）又说，船上的菜个个都辣。　　　　　　　（　　）

（2）过几年你再来游览三峡，还会看到新的景色。（　　）

（3）我可吃不去。　　　　　　　　　　　　　（　　）

（4）我们都对这件事着急。　　　　　　　　　（　　）

（5）他晕得连可乐也不想喝了。　　　　　　　（　　）

17　根据本课"阅读与复述"中的短文内容判断正误。

Decide whether the following statements are true (T) or false (F) according to the passage in "Reading Comprehension and Paraphrasing" in this lesson.

（1）鼻烟壶在中国已经有 2000 多年的历史了。　（　　）

（2）张学良先生最喜欢收藏鼻烟壶。　　　　　（　　）

（3）年轻的艺术家在鼻烟壶里画了自己年轻时穿着军服的画像。（　　）

（4）1992 年，中国在夏威夷举办了工艺美术展。（　　）

（5）张学良先生参观展览时见到了那位为他画像的老画家。（　　）

18　回答问题。

Answer the following questions.

（1）你游览过三峡吗？

（2）你听过三峡的传说吗？

（3）你还知道哪些美丽的传说？

（4）三峡的事你还知道些什么？

（5）你游览过哪些自然风景区？

（6）你喜欢什么样的景色？

19 读古诗和短文，并完成下列练习。
Read the poem and the passages and do the following exercises.

（1）Try to read and recite the following poem by Li Bai.

早发白帝城

［唐］李白

朝辞白帝彩云间，
千里江陵一日还。
两岸猿声啼不住，
轻舟已过万重山。

Zǎo Fā Báidì Chéng

[Táng] Lǐ Bái

Zhāo cí Báidì cǎiyún jiān,
qiān lǐ Jiānglíng yí rì huán.
Liǎng'àn yuán shēng tí bu zhù,
qīngzhōu yǐ guò wàn chóng shān.

（2）Complete the statements according to the passage.

班门弄斧

　　李白的墓在安徽当涂。去江南游览的诗人、作家一般都要去看看李白的墓。有的还作诗纪念这位大诗人。有个诗人也去看李白的墓。他看见墓前写了不少诗，但是好诗不多。他心想："这样的诗怎么能写在李白的墓前呢？太可笑了。"他决定自己也在李白墓前写一首诗：

采石江边一堆土，
李白诗名高千古。
来的去的写两行，
鲁班门前弄大斧。

　　"一堆土"是指李白的墓。鲁班是春秋战国时候一位有名的木匠，是用斧子的专家。后来的木匠都把鲁班看成是自己的祖师爷。这首诗的意思是：那些在李白墓前写诗的人，就好像在鲁班门前用斧子一样。

后来人们常用"班门弄斧"来比喻在专家面前表现自己。

生词　New Words

①	墓	mù	N	grave, tomb
②	堆	duī	M	heap
③	木匠	mùjiang	N	carpenter
④	祖师爷	zǔshīyé	N	the founder of a school of learning, a craft, etc.

① "一堆土"是指_____的墓。

② 鲁班是用斧子的_____。

③ "班门弄斧"是比喻在专家面前_____。

（3）Answer the questions according to the passage.

古代诗人与三峡

三峡在中国人心中的地位很重要。《唐诗三百首》里直接写三峡的就有 12 首，写长江的有 54 首。中国第一位大诗人屈原的故乡就在三峡。"诗仙"李白三次过三峡，留下了不少诗篇，特别是《早发白帝城》最有名。"诗圣"杜甫也写下了很多名诗。

生词　New Word

屈原	Qū Yuán	PN	Qu Yuan, one of the earliest and greatest poets in China

问题　Questions

① 三峡在中国人心中的地位怎么样？

三峡在中国人心中的地位很重要。

② 中国第一位大诗人是谁？他家在哪儿？

屈原。他家在三峡。

③ 李白写三峡最有名的诗是哪首？

《早发白帝城》

20 根据本课课文完成此段落。

Complete the passage according to the texts in this lesson.

今天我参观了三峡书画作品展览。我还没去过三峡，一直想去看一看那儿的美丽景色。今天的展览让我对三峡先有了一个了解。……

我学到三峡神女峰的传说。很久很久以前，西王母让她的女儿来三峡，为来往的大船小船指路。她日日夜夜地站在那儿，后来就成了神女峰。我希望未来能去三峡游览。

21 用下列词语描述你的一次旅行经历（至少用8个）。

Describe one of your travel experiences with at least 8 words and phrases from the following list.

再说　不想 +V₁……就想 +V₂　看日出　好点儿了　迷住了

连……也……　别提了　既……又……　实在　美极了　游览　景色

汽车我先开着

Let me drive the car first.

听说练习 Listening and Speaking Exercises

1 发音练习。

Pronunciation drills.

Read the following words or phrases aloud, paying special attention to the pronunciation of "ian, ai, ou, üe, uei, eng".

ian——现在先听我说　锻炼身体　勤俭节约　时间就是金钱

艰苦朴素　实现理想

ai——开始工作　买汽车　我还没吃晚饭　开车上班

摆了很多盆景　再见　借债

ou——开学以后　都21世纪了　去中国旅游　享受生活

üe——节约　向科学家学习　我觉得这样做不好　越来越多

解决问题

uei——绝对不行　最有信用的人　为我们的友谊干杯　胃疼

对不起

eng——挣够钱了　你疯了　说梦话　您老怎么称呼

他生病在家休息　修整了一下花草

9

2~7

2 听问题，根据课文内容圈出正确的答案。

Listen to each question and circle the correct answer according to the texts.

1　A. 开始工作以前　　　　　B. 开始工作以后

C. 工作一年以后　　　　　D. 工作五年以后

2　A. 走路　　　B. 开汽车　　　C. 骑自行车　　　D. 跑步

③   A. 用父母的钱   B. 用自己工作的钱

C. 向朋友借钱   (D) 向银行贷款

④   (A) 10% 或 20%   B. 20% 或 30%

C. 5% 或 10%   D. 1% 或 5%

⑤   A. 会   (B) 不会

3   听对话，并判断正误。

Listen to the following dialogue and decide whether the statements are true (T) or false (F).

① 昨天男的没来。   （ T ）

② 男的有事，所以没来。   （ T ）

③ 男的给女的打电话，告诉女的他不能来了。   （ F ）

④ 男的没来，所以女的很快就走了。   （ F ）

⑤ 女的有点儿不高兴了。   （ T ）

4   听句子，并填空。

Listen and fill in the blanks.

① 我们要___节约___用水。

② 现在已经是 21___世纪___了。

③ 以前，我家的生活很___艰苦___。

④ 我___绝对___不会向你借钱。

⑤ 我要好好儿地___享受___这个星期天。

5   听句子，写拼音。

Listen and write the sentences in *pinyin*.

① _____

② _____

③ _____

④ _____

⑤ _____

6 听句子，写汉字。
Listen and write the characters.

① 时间就是生命。

② 我想向银行贷款。

③ 我们应该按时上课。

④ 你昨天晚上说梦话了！

⑤ 他没有信用。

7 角色扮演。
Role-play.

Listen to and imitate the dialogue together with your partner. Try to get the meaning of the dialogue with the help of your friends, teachers or dictionaries.

8 文化体验。
Culture experience.

假如你想贷款买一辆汽车或一所房子，问问你的朋友或银行工作人员，办理贷款需要哪些材料和手续。

9 阅读下面的实用材料，并与你的同伴编一段对话。打听一下你想买的这套公寓以及从银行贷款所需的手续。
Read the following table and make up a dialogue with your partner enquiring about the following apartment you want to purchase and the formalities you need to go through to get the loan from the bank.

所 在 区	高新区
小区名称	二十一世纪花园景园
物业类型	公寓
房屋结构	两室两厅两卫
基础设施	水　电　天然气　有线电视　宽带网络
建筑面积	80 平方米
楼　　层	4

卖房价格	14500 元 / 平方米	
登记日期	2011-6-25 9: 41: 07	有效天数：30 天
联 系 人 (房产公司)	文小姐　向先生	
联系方式	E-mail: huayuanjingyuan@bj.com	
	联系电话： 010-22322200/22462200/66936220	
	QQ：789256431	
备　　注 (不超过200字)		

读写练习　Reading and Writing Exercises

1 在空格里写汉字，注意汉字的部件。

Write the characters in the blanks, paying attention to the character components.

tǐng	扌 + 壬 + 廴	挺							
yuē	纟 + 勺	约							
bèi	非 + 车	辈							
bèi	亻 + 音	倍							
mìng	人 + 一 + 一 + 口 + 卩	命							
jīn	人 + 王 + 丷 + 一	金							
jiān	又 + 艮	艰							
pǔ	木 + 卜	朴							
sù	垚 + 糸	素							

qín	廿 + 中 + 三 + 力	勤							
jiǎn	亻 + 佥	俭							
chǎn	立 + ノ	产							
xù	艹 + 玄 + 田	蓄							
dài	代 + 贝	贷							
fēng	疒 + 风	疯							
zhài	亻 + 责	债							
jué	纟 + 色	绝							
kùn	囗 + 木	困							
wěn	禾 + 急	稳							
fù	亻 + 寸	付							
àn	扌 + 安	按							
chù	夂 + 卜	处							
xiǎng	亠 + 口 + 子	享							

2 为下列每组词语标注拼音，并译成英文。猜一猜没学过的词语的意思，并通过朋友、
老师或词典来确认。

Mark *pinyin* for the following groups of words and phrases and then translate them
into English. Try to guess the meanings of the words and phrases you haven't
learned and then confirm them with the help of your friends, teachers or dictionaries.

（1）汽车　火车　电车　卡车　旅游车　面包车　出租车

_____

_____

（2）丢人　丢脸　丢面子

_____

_____

（3）梦话　好话　坏话

_____

_____

（4）好处　坏处

_____

_____

（5）医生　学生　先生　小学生　中学生　大学生　研究生
自费生　旁听生

_____

_____

（6）队员　学员　教员　演员　售货员　售票员　营业员　服务员
技术员　研究员　守门员　运动员

_____

_____

（7）饭馆　茶馆　旅馆　咖啡馆　图书馆　美术馆　博物馆　展览馆
熊猫馆

_____

_____

（8）食品　物品　产品　商品　药品　用品

_____

_____

（9）学院　医院　戏院　医学院　商学院　文学院　科学院　电影院
京剧院

_____

_____

3 根据所给拼音，把第一行和第二行的汉字连线组成词。

Match each of the following characters in the first line with that in the second to make a word according to the *pinyin* provided. Draw a line to connect the two.

tǐng hǎo　　jiéyuē　　shìjì　　wěndìng　　shēngmìng　　jiānkǔ

pǔsù　　qínjiǎn　　chǎnpǐn　　jīngjì　　kùnnan　　shíxiàn

节　挺　世　稳　艰　生　勤　朴　困　产　实　经

好　定　约　苦　纪　俭　素　命　现　品　济　难

4 选用正确的汉字填空。

Fill in the blanks with the correct characters.

（1）要节＿＿约＿＿用水。

　　　要按时吃＿＿的＿＿。

　　　（药　约　的）

（2）他很会享＿＿受＿＿生活。

　　　她很热＿＿爱＿＿自己的工作。

　　　（爱　受　变）

（3）她每月用的钱是我的两＿＿倍＿＿。

　　　你＿＿陪＿＿孩子们去玩儿吧。

　　　（陪　部　倍）

（4）我们不能把＿＿艰＿＿苦朴素丢了。

　　　大家都不怕困＿＿难＿＿。

　　　（观　艰　难）

（5）我＿＿管＿＿不了你的事。

　　　他是外交＿＿官＿＿。

　　　（官　营　管）

5　根据所给拼音，把括号里的汉字组成句子。

Organize the characters in the the parentheses into Chinese sentences according to the *pinyin* given.

（1）Wǒ xiǎng qù nǎr jiù qù nǎr.

（去哪儿我去哪儿想就）

_____

（2）Nǐ shénme shíhou zhènggòule qián shénme shíhou zài mǎi qìchē.

（你挣够了什么时候钱汽车再买什么时候）

_____

（3）Nín yǐwéi shéi xiǎng jiè yínháng de qián shéi jiù néng jiè?

（借银行您以为谁想的钱就能借谁）

_____

（4）Nǐ ài zěnme zuò jiù zěnme zuò.

（怎么做你就爱怎么做）

_____

（5）Tā yìdiǎnr xìnyòng dōu méiyǒu.

（都没有他信用一点儿）

_____

（6）Jiùshì èrshíyī shìjì shēnghuó yě děi jiānkǔ pǔsù.

（艰苦朴素就是21世纪也得生活）

_____

6　根据拼音填汉字。

Fill in the blanks with the correct characters according to the *pinyin*.

　　王小云想开始工作以后就买车，因为有了车很方便，而且能节 yuē <u>约</u> 时间。可是小云的妈妈认为，21 世纪也要 jiān <u>艰</u> 苦朴 sù <u>素</u>。骑自行车上班比较好，还能锻炼身体。小云不要妈妈 guǎn <u>管</u> 她的事，她想向银行 dài <u>贷</u> 款。小云妈妈一 bèi <u>辈</u> 子都没有借过 zhài <u>债</u>，不同意小云这样做。小云解释说，她有 wěn <u>稳</u> 定的工作，是有 xìn <u>信</u> 用的人。先借钱

买车，然后慢慢还钱，这是一种新观 niàn__念____。小云说她妈妈跟

不上时 dài__代____了。

7 猜字谜。

Character riddle.

　　　　嘴里有块玉。

　　　　　　　　　（打一个汉字　The key is a character.）

　　　　一有就来。

　　　　　　　　　（打一个汉字　The key is a character.）

（Key to Exercise 8 in Lesson 34：李查，架茶染，村朴机杯松树桥相检楼棋棵样棒，林）

8 填空。

Fill in the blanks.

（1）5 万是 5 千的___十___倍。

（2）30 的 8 倍是__240____。

（3）300 的__十分之一__是 30。

（4）200 的 5% 是___10___。

（5）40 的__四分之一__是 10。

9 用合适的动词填空。

Fill in the blanks with proper verbs.

（1）在 21 世纪也得勤俭__过____日子。

（2）我的事不要你__管____。

（3）时代不同了，我们的观念也得__变__一__变__了。

（4）你们公司__生产__什么产品？

（5）你太浪费了，应该__节约__一点儿。

10 选择正确的答案。

Choose the correct answers.

（1）＿＿＿＿＿＿＿10点了，他怎么还没来？

　　A. 才　　　　　B. 就　　　　　C. 都　　　　　D. 刚

（2）明天＿＿＿＿＿＿下雨，我也要去接你。

　　A. 只要　　　　B. 就是　　　　C. 因为　　　　D. 既然

（3）你＿＿＿＿＿＿时候来我们就＿＿＿＿＿＿时候出发。

　　A. 怎么　　　　B. 哪儿　　　　C. 谁　　　　　D. 什么

（4）这些人我一个＿＿＿＿＿＿不认识。

　　A. 也　　　　　B. 还　　　　　C. 就　　　　　D. 才

（5）你不能＿＿＿＿＿＿我丢人。

　　A. 要　　　　　B. 给　　　　　C. 被　　　　　D. 把

11 连接Ⅰ和Ⅱ两部分的词语，组成句子。

Make sentences by matching the words and phrases in Column Ⅰ with those in
Column Ⅱ. Draw a line to connect each pair.

Ⅰ

他说的话我一句
等我看完这本书
就是你不告诉我
谁有能力
4是16的

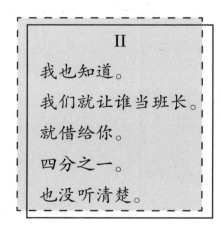

Ⅱ

我也知道。
我们就让谁当班长。
就借给你。
四分之一。
也没听清楚。

12 用所给词语组成句子。

Make sentences with the words and phrases given.

　For example: 说　好　他　得　汉语　很　→ 他汉语说得很好。

（1）真　不　在　你　想　知道　什么

　　→＿＿＿＿＿＿＿＿＿＿＿＿＿＿＿＿＿＿＿＿＿

（2）比　快　开车　一　骑车　倍

　　→ _____

（3）有　是　钱　的　这　习惯　人

　　→ _____

（4）也　你　信用　没有　一点儿

　　→ _____

（5）怎么　你　就　怎么　爱　玩儿　玩儿

　　→ _____

13 用所给词语造句。
Make sentences with the words and phrases given.

（1）等……就…… : _____

（2）一……也／都……不／没…… : _____

（3）比……贵一倍: _____

（4）就是……也…… : _____

（5）跟不上: _____

14 把下列句子改写为带有"一……也／都……没／不……"结构的句子。
Change the following sentences into sentences with the structure "一……也／都……
没／不".

For example: 他没有钱。→ 他一分钱也没有。

（1）你的话我都听不懂。→ 你一句话我都听不懂。

（2）这些书她都没看过。→ 她一本这些书都没看过。

（3）图书馆里没有人。→ 图书馆里一个人也没有。

（4）他所有考试都没考好。→ 他一个考试都没考好。

（5）他什么都不想吃。→ 他一点儿食物都不想吃。

15 把下列句子译成英文。

Translate the following sentences into English.

（1）房间外面可冷了。

It's cold outside the room now.

我知道那个地方，可我不想去。

I know that place, but I just don't want to go.

（2）你在前面走，我跟着你。

You walk in front, I will come with you.

这件衣服跟那件一样漂亮。

This piece of clothing is as pretty as that piece of clothing.

（3）请等我一会儿。

Please wait a while for me.

等我回国以后，我就给你写信。

Wait until I return home then I will write you a letter.

（4）都四月了，怎么还下雪？

It's already April, how is it still snowing?

我们都来了。

We are all here.

16 判断下列句子的语法是否正确。

Decide whether the following statements are grammatically correct (✓) or wrong (×).

（1）哪儿漂亮，就我们去哪儿。 　　　　　　　（　　　）

（2）10 的三分之十是 3。 　　　　　　　（　　　）

（3）这件衣服比那件衣服贵一倍。 　　　　　　　（　　　）

（4）等挣够了钱我就买车。 　　　　　　　（　　　）

（5）明天就是忙，你都要来。 　　　　　　　（　　　）

17　根据本课"阅读与复述"中的短文内容判断正误。

Decide whether the following statements are true (T) or false (F) according to the passage in "Reading Comprehension and Paraphrasing" in this lesson.

（1）这些高薪穷人族挣得少，花得多。（　　）

（2）这些人大部分没有结婚，和父母住在一起。（　　）

（3）他们把大部分钱交给父母。（　　）

（4）他们的钱都花在个人消费上。（　　）

（5）他们自己很会享受生活，认为这是一种新的消费观念。（　　）

18　回答问题。

Answer the following questions.

（1）你们国家的人常常向银行贷款吗？

（2）你贷过款吗？

（3）你同意"花明天的钱，实现今天的梦"这种观念吗？为什么？

（4）你知道有什么好办法来解决"代沟"问题吗？

19　读短文，并完成下列练习。

Read the passages and do the following exercises.

（1）Translate the following words according to the passage.

中国的汽车工业

20 世纪 50 年代，中国才开始建立自己的汽车工业。

1956 年 7 月 13 日，中国长春市第一汽车制造厂制造出第一辆解放牌汽车，中国结束（jiéshù）了自己不能制造汽车的历史，实现了中国人自己生产汽车的梦想。

1992 年，全国汽车年产量第一次超过（chāoguò）100 万辆。1998 年生产 162.8 万辆，在世界上排名（páimíng）第 10 位。中国汽车工业产品销售（xiāoshòu）收入 2504.7 亿元。

1998 年，全国私人汽车有 423.7 万辆（其中客车、轿车 230.7 万辆），占当年全国民用汽车保有量 1319 万辆的 32.1%。2010 年，全国私人汽车保有量 6539 万辆，是 1998 年的 15.4 倍；全国民用汽车保有量达到 9086 万辆，是 1998 年的 6.9 倍。

中国汽车工业经过 50 多年的发展，特别是改革开放 30 年来的发展，取得了很大的进步。中国的汽车工业每年都在以高速度持续（chíxù）增长（zēngzhǎng）着。

① 结束 _____
② 超过 _____
③ 排名 _____
④ 销售 _____
⑤ 持续 _____
⑥ 增长 _____

（2）Fill in the blanks according to the passage.

中国人有勤俭过日子的习惯，花钱注意"细水长流"，很注意把钱存起来，留着以后有急事时用。有位女记者对现代人的消费观念作了一次调查，她发现，这种传统的消费观念在女性中仍然占主导地位。有 65.23% 的女性认为，过日子就应该"艰苦朴素，精打细算"；有 19.45% 的女性认为自己属于"没有计划，随便花"的消费类型；还有 11.19% 的女性表示自己的消费方式是"挣多少花多少"；只有 4.13% 的女性愿意接受贷款消费的方式。

① 65.23% 的女性的消费观念是_____。
② 只有 4.13% 的女性愿意接受_____。

（3）Answer the questions according to the passage.

马大姐开车

马大姐走到哪儿就会把笑声带到哪儿。别的不说，就说马大姐学开车这件事儿吧，您可能想不到，她十年前就拿到了汽车驾驶证，也算是"老司机"了，可是她只开过两次汽车。第一次是拿到驾驶证的当天晚上。那天，下着小雨，她把车开到了天安门广场。她一看见红灯就着急了，找不着停车线了。她的车正在走走停停的时候，警察发现了她，大声地叫喊："靠边停车！"马大姐马上把车开到路边停住，然后下车跑到警察身边，很恭敬地对警察说："对不起！您要罚多少？"警察问她："红灯都亮了，你还往前开！你要去哪儿？""我不要去哪儿，您看看我驾驶证上的日子，您就会……"马大姐觉得自己是第一天开车，犯点儿小错，警察应该原谅她。可是警察看都没看她，就说："十块钱！"马大姐把驾驶证和钱递过去，警察拿过驾驶证一看："是您啊，马大姐！"然后给她一张罚款单，说："您去银行交钱，下次请注意！"

第二次开车出去，刚到十字路口，车就熄火了，怎么也发动不起来。警察走过来问："您在这儿干吗呢？""没干什么，我看见警察有点儿紧张！""又没犯错误，您紧张什么？用不用帮您推一推？"马大姐说："不麻烦您了！"

十多年来，马大姐就开了这么两次车，而且两次都很不顺利。后来她再也没有开过车。

生词　New Words

①	驾驶证	jiàshǐzhèng	N	driver's license
②	天安门广场	Tiān'ānmén Guǎngchǎng		Tian'anmen Square
③	恭敬	gōngjìng	A	respectful
④	原谅	yuánliàng	V	pardon, forgive

⑤	熄火	xīhuǒ	V	stop burning, go /die out
⑥	发动	fādòng	V	start, launch
⑦	紧张	jǐnzhāng	A	nervous

问题　Questions

① 马大姐第一次开车被罚款，是因为什么？

② 马大姐第二次开车被罚款了吗？

（4）Answer the questions according to the passage.

中国的贷款热

　　中国人自古就有勤俭节约的传统，靠自己的努力，一点点地积累家庭的财富。中国人的传统消费观是"能花多少钱，才花多少钱"，不是"想花多少钱，就花多少钱"。"借贷"一词在中国人看来，有一种不好的意思。人们认为只有追求享受、不会过日子的人才去借贷消费。可是现在，在中国已经刮起了一股借贷消费的风。在北京、上海、广州等大城市，哪儿都能看到贷款买车、贷款买房的广告和信息。这几年，中国的市场经济在发展，特别是加入WTO以后，很多中国人的消费观念也变了，他们越来越注重生活的品质，越来越注重消费水平。对绝大多数人来说，如果靠自己工资收入来消费，他们不可能很快地过上好日子。所以，人们对贷款消费也就开始感兴趣了。现在，"贷款"已成为一个很流行的词了，它代表着一些中国人的新的消费观。

生词　New Words

①	积累	jīlěi	V	accumulate
②	财富	cáifù	N	wealth, richness
③	品质	pǐnzhì	N	quality

问题　Questions

① 过去，中国人的消费观是怎样的？

　　能花多少钱，才花多钱

② "借贷"一词在中国人的传统观念中有什么意思？

　　不会过日子的人才去借贷消费

③ 现在，在中国，"贷款"为什么成了一个流行的词？

　　因为它表着一些中国人的新的消费观。

20 用下列词语描述一下贷款的新内涵（至少用 8 个）。

Describe the new concept of getting a loan with at least 8 words and phrases from the following list.

节约　贷款　借债　银行　按时还钱　信用　稳定　商品经济　时代

观念　变　享受　一……也 / 都……没 / 不……

北京热起来了

It's getting hot in Beijing.

听说练习 Listening and Speaking Exercises

1 发音练习。
Pronunciation drills.

Read the following words or phrases aloud, paying special attention to the pronunciation of "e, u, ang, eng, ing".

e——北京热起来了　从热带到寒带　可是我觉得这儿只有夏天
气候的特点

u——气候很复杂　差不多　羽绒服　舒服极了　不知道
艰苦朴素　首都北京

ang——夏天很长　贷款买房　常常刮大风　南方的花开了
欣赏美景　举头望明月

eng——天气很冷　没见过的朋友　内蒙草原　僧敲月下门
别做梦了　刮风下雪

ing——应该这样说　雪还没停　名人　床前明月光　并且　平安
宁静的教室

2 听问题，根据课文内容圈出正确的答案。
Listen to each question and circle the correct answer according to the texts.

10
2~7

① A. 三月　　　B. 四月　　　Ⓒ. 五月　　　D. 六月
② A. 春季　　　B. 夏季　　　Ⓒ. 秋季　　　D. 冬季
③ A. 北京　　　B. 江南　　　C. 内蒙草原　Ⓓ. 海南岛
④ Ⓐ. 诗人　　　B. 老师　　　C. 书法家　　D. 科学家

5 A. 一千岁   B. 一千一百岁

C. 一千二百多岁   (D.) 一千三百多岁

3 听对话，并回答问题。

Listen to the following dialogue and answer the questions.

1 车上一共有几个人？

四个人

2 谁在开车？

第人位女人

3 背包放在哪儿了？背包重不重？

男人把车上的背包那下来。背包很重

4 那个岁数大的男人背得动背包吗？

背不动

5 他让谁背背包？那个人背得动吗？

年轻的男人。他可以背得动。

4 听句子，并填空。

Listen and fill in the blanks.

1 北京一年有四个 季节 。

2 这个问题不太 复杂 。

3 我不喜欢穿 裙子 。

4 我来决定时间，你来 选择 地点。

5 他是个 诗人 。

5 听句子，写拼音。

Listen and write the sentences in *pinyin*.

1 _____

2 _____

3 _____

④ _____

⑤ _____

6 听句子，写汉字。
Listen and write the characters.

① 各位老师，你们好。

② 上午太热，最好晚上去。

③ 这是我们的旅游路线。

④ 张老是位大科学家。

⑤ 这件礼物很珍贵。

7 角色扮演。
Role-play.

Listen to and imitate the dialogue together with your partner. Try to get the meaning of the dialogue with the help of your friends, teachers or dictionaries.

8 文化体验。
Culture experience.

你打算去中国旅游，向你的中国朋友或当地的旅行社了解一下，这个季节去中国的什么地方旅游最好。

读写练习　*Reading and Writing Exercises*

1　在空格里写汉字，注意汉字的部件。
Write the characters in the blanks, paying attention to the character components.

jì	禾 + 子	季							
zá	九 + 朩	杂							
hán	宀 + 艹 + 一 + 仌	寒							
nuǎn	日 + 爫 + 一 + 友	暖							
yǔ	习 + 习	羽							
róng	纟 + 戎	绒							
gè	夂 + 口	各							
qún	礻 + 君	裙							
chú	阝 + 余	除							
xiàn	纟 + 戋	线							
cǎo	艹 + 早	草							
xuǎn	先 + 辶	选							
zé	扌 + 又 + 䒑	择							
měng	艹 + 冖 + 一 + 豕	蒙							
wěi	亻 + 韦	伟							
yí	匕 + 矢 + 㗊 + 疋	疑							
shuāng	雨 + 相	霜							

shú	享＋丸＋灬	熟						
yè	宀＋贝	页						
dǐ	扌＋氐	抵						
zhēn	王＋人＋彡	珍						
fēng	土＋土＋寸	封						
dù	木＋土	杜						
fǔ	一＋冂＋丨＋丶	甫						
shā	艹＋沙	莎						
yà	一＋业	亚						

2 为下列每组词语标注拼音，并译成英文。猜一猜没学过的词语的意思，并通过朋友、老师或词典来确认。

Mark *pinyin* for the following groups of words and phrases and then translate them into English. Try to guess the meanings of the words and phrases you haven't learned and then confirm them with the help of your friends, teachers or dictionaries.

（1）热带　寒带　温带　亚热带

_____

_____

（2）羽绒服　工作服　衣服　西服　洋服

_____

_____

（3）裙子　裤子　袜子　鞋子　帽子

_____

_____

（4）古代　近代　现代　当代

_____

3 按照例子写出下列短语的缩略形式。

Make up words formed by abbreviations after the models.

For example: a. 北京大学——北大

b. 老人和小孩——老小

c. 男生和女生——男女生

（1）人民大学——

（2）农业大学——

（3）医科大学——

（4）老师和学生——

（5）职员和工人——

（6）工业和农业——

（7）工业和商业——

（8）中国和美国——

（9）中国和法国——

（10）文化和教育——

（11）科学和技术——

4 根据所给拼音，把第一行和第二行的汉字连线组成词。

Match each of the following characters in the first line with that in the second to make a word according to the *pinyin* provided. Draw a line to connect the two.

jìjié　　fùzá　　hándài　　nuǎnqì　　lùxiàn　　xuǎnzé

wěidà　　shúliàn　　zhēnguì　　qúnzi　　cǎoyuán　　yíwèn

季　寒　复　暖　选　路　熟　伟　疑　珍　裙　草

气　杂　节　带　练　择　线　问　子　原　大　贵

5 选用正确的汉字填空。

Fill in the blanks with the correct characters.

（1）你记得很＿＿熟＿＿。

今天天气很＿＿热＿＿。

（然　热　熟）

（2）北京有四个___季___节。

这个___学___期要结束了。

（季　李　学）

（3）我们走的路___线___对吗？

苹果多少___钱___一斤？

（钱　绒　线）

（4）他向银行___贷___款。

请问您___贵___姓？

（贵　贷　货）

（5）中国海南岛是热___带___气候。

农业也要现___代___化。

（带　常　代）

6 根据所给拼音，把括号里的汉字组成句子。

Organize the characters in the parentheses into Chinese sentences according to the *pinyin* given.

（1）Nǐ péngyou qiūtiān lái de liǎo ma?

（你秋天朋友得来了吗）

_____

（2）Tā jiùshì qiūtiān lái bu liǎo, yě méi guānxi.

（秋天就是他不来了也关系没）

_____

（3）Nǐ kàn wǒ chuān de nàme duō, lián lù dōu zǒu bu dòng le.

（你我看得穿那么多连都路不动走了）

_____

（4）Běijīng yí dào wǔyuè, tiānqì jiù rè qǐlai le.

（一到北京5月就天气起来热了）

_____

（5）Chúle qiūtiān yǐwài, bié de jìjié yě kěyǐ lái Zhōngguó lǚyóu.

（除了以外秋天可以季节别的也来旅游中国）

_____

7 根据拼音填汉字。

Fill in the blanks with the correct characters according to the *pinyin*.

马大为的朋友要来中国旅游，所以他问小燕子中国的气 hòu 候___
情况。小燕子告诉他，从热 dài 带___到 hán 寒___带，gè 各___
种气候中国差不多都有。北京有四个 jì 季___节，春天很短，冬天
很长，从 11 月到第二年的 4 月，天气都很冷。可是一到 5 月，天气就
热起来了。小燕子还告诉马大为，zuì hǎo 最好___秋天来北京旅行。
chú 除___了秋天以外，别的季节也可以来中国旅游，不同的季节可
以去不同的地方。小燕子还给了马大为一些各地的旅游介 shào 绍___。
马大为很高兴。

8 猜字谜。

Character riddle.

二人顶破天。

（打一个汉字　The key is a character.）

千个头，八个尾，生一子，实在美。

（打一个汉字　The key is a character.）

（Key to the riddle in Lesson 35：国、米）

9 用合适的动词填空。

Fill in the blanks with proper verbs.

（1）今天天很热，得___穿___裙子。

（2）这么多书，我不知道___选___哪一本。

（3）你能___背___得出昨天学的中国古诗吗？

（4）你今天下午___来___得了吗？

10　选择正确的答案。
Choose the correct answers.

（1）_____国都有自己的习惯。

    A. 每　　　　　B. 各　　　　　C. 其他　　　　　D. 别的

（2）这本书很厚，我一天看不_____。

    A. 完　　　　　B. 动　　　　　C. 下　　　　　D. 起

（3）王老师今天下午有别的事，来不_____。

    A. 动　　　　　B. 下去　　　　C. 起　　　　　D. 了

（4）他一紧张_____说不出话来。

    A. 又　　　　　B. 还　　　　　C. 就　　　　　D. 才

（5）听了他的话，大家都笑_____了。

    A. 下去　　　　B. 上来　　　　C. 下来　　　　D. 起来

11　连接 I 和 II 两部分的词语，组成句子。
Make sentences by matching the words and phrases in Column I with those in Column II. Draw a line to connect each pair.

I	II
除了口语课以外，	都是汉语难学的原因。
他不能喝酒，一喝	是"信"的意思。
像声调、汉字等，	我们还有听力课。
这些古诗	就脸红。
"家书抵万金"的"书"	我们现在恐怕还读不了。

12　用所给词语组成句子。
Make sentences with the words and phrases given.

For example: 说　好　他　得　汉语　很　→他汉语说得很好。

（1）个　很　吧　问题　这　复杂

    → _____

（2）种　我　电影　各　看　都　差不多　喜欢

→ _____

（3）秋天　北京　来　你　最好

→ _____

（4）坐　多　电影院　吗　这么　得　下　人

→ _____

（5）东西　动　不　这些　拿　我

→ _____

13 用所给词语造句。

Make sentences with the words and phrases given.

（1）除了……以外：_____

（2）吃得了：_____

（3）放不下：_____

（4）多起来：_____

（5）一……就……：_____

14 把下列句子改写为带有"一……就……"结构的句子。

Change the following sentences into sentences with the structure "一……就……".

For example：他到以后我们马上开会。→ 他一到，我们就开会。

（1）老师进教室以后马上上课。→ 老师一进教室，就上课。

（2）我回家后马上给你打电话。→ 我一回家，就给你打电话。

（3）学校放假以后，我们马上去旅行。→ 学校一放假，我们就去旅行。

（4）他到北京以后马上来找你。→ 他一到北京，就来找你。

（5）北京到十月以后天开始冷起来了。→ 北京一到十月，天就开始冷起来了。

15 把下列句子改写为带有"除了……以外，还／都／也……"结构的句子。
Change the following sentences into sentences with the structure "除了……以外，
还／都／也……".

For example: 我们都知道这件事，只有他不知道。

→ 除了他以外，我们都知道这件事。

（1）墙上挂着照片和一张地图。

→ 除了照片以外，墙上还挂着一张地图。

（2）这个学校有中国学生和外国学生。

→ 除了中国学生以外，这个学校也有外国学生。

（3）我们都去过北京，只有他没去过。

→ 除了他以外，我们都去过北京。

（4）他会说英语、汉语和日语。

→ 除了英语以外，他也会说汉语和日语。

（5）张老师没来，别的老师都来了。

→ 除了张老师以外，别的老师都来了。

16 把下列句子译成英文。
Translate the following sentences into English.

（1）他是我最好的朋友。

_____

明天你最好早点儿来。

_____

（2）他长得很像他爸爸。

_____

我们每天上很多课，像听力课、口语课、写作课。

_____

（3）我要给妈妈回一封信。

_____

我们下回再来吧。

_____

17 判断下列句子的语法是否正确。

Decide whether the following statements are grammatically correct (✓) or wrong (×).

（1）各菜都尝一尝。　　　　　　　　　　　（　　　）

（2）除了小王以外，别的同学也来了。　　　（　　　）

（3）我病了，上不了课。　　　　　　　　　（　　　）

（4）天太热，我不能睡觉。　　　　　　　　（　　　）

（5）我们唱歌起来。　　　　　　　　　　　（　　　）

18 根据本课"阅读与复述"中的短文内容判断正误。

Decide whether the following statements are true (T) or false (F) according to the passage in "Reading Comprehension and Paraphrasing" in this lesson.

（1）贾岛是唐代的诗人。　　　　　　　　　（　　　）

（2）贾岛的毛驴撞上了韩愈的轿子。　　　　（　　　）

（3）韩愈是大官，但不是诗人。　　　　　　（　　　）

（4）韩愈认为"推门"比"敲门"好。　　　（　　　）

（5）这个故事告诉我们"推敲"这个词是怎么来的。（　　　）

19 回答问题。

Answer the following questions.

（1）你去中国旅行过吗？

（2）你知道中国的哪些名胜古迹？

（3）一年有四个季节，你喜欢哪一个季节？为什么？

（4）你知道中国哪些有名的诗人？你喜欢诗吗？

20 读短文，并完成下列练习。
Read the passages and do the following exercises.

（1）Translate the following words according to the passage.

中国的旅游业

中国面积很大，历史悠久（yōujiǔ），自然条件复杂多样。因此，中国有很多自然景观和名胜古迹，比如黄山、张家界、北京故宫、西安兵马俑、万里长城等，都是世界级的旅游资源（zīyuán）。这些年来，中国经济有了很大的发展，旅游服务设施（shèshī）也得到了很大的改善（gǎishàn），越来越多的外国人喜欢来中国旅游。据世界旅游组织统计，2001年中国一共接待（jiēdài）了8700多万游客，中国已经成了世界旅游大国。

旅游活动在中国古代就有，中国历史上出现了不少有名的旅行家，像徐霞客、郑和等。明代航海家郑和，从1405年起，先后七次带领船队出国访问，最远到达非洲东海岸。他们给后人留下了大量的地理著作（zhùzuò）。但一直到20世纪80年代，中国的旅游业才成为一门新的产业（chǎnyè）。现在，每年不但有很多外国游客来中国旅游，而且在国内或者到世界各地旅游的中国人也越来越多了。

生词　New Words

1	据	jù	Prep	according to, on the grounds of
2	徐霞客	Xú Xiákè	PN	Xu Xiake, a great geographer in ancient China
3	郑和	Zhèng Hé	PN	Zheng He, a great navigator in ancient China

① 悠久 ＿＿＿＿＿＿＿＿＿＿＿＿＿＿＿＿＿＿

② 资源 ＿＿＿＿＿＿＿＿＿＿＿＿＿＿＿＿＿＿

③ 设施 ＿＿＿＿＿＿＿＿＿＿＿＿＿＿＿＿＿＿

④ 改善 ＿＿＿＿＿＿＿＿＿＿＿＿＿＿＿＿＿＿

⑤ 接待 ＿＿＿＿＿＿＿＿＿＿＿＿＿＿＿＿＿＿

⑥ 著作 ＿＿＿＿＿＿＿＿＿＿＿＿＿＿＿＿＿＿

⑦ 产业 ＿＿＿＿＿＿＿＿＿＿＿＿＿＿＿＿＿＿

（2）Try to read and recite the following poem by Du Fu.

<table>
<tr><td>绝　句</td><td>Jué Jù</td></tr>
<tr><td>［唐］杜甫</td><td>[Táng] Dù Fǔ</td></tr>
<tr><td>两个黄鹂鸣翠柳，</td><td>Liǎng ge huánglí míng cuì liǔ,</td></tr>
<tr><td>一行白鹭上青天。</td><td>yì háng báilù shàng qīng tiān.</td></tr>
<tr><td>窗含西岭千秋雪，</td><td>Chuāng hán Xīlǐng qiān qiū xuě,</td></tr>
<tr><td>门泊东吴万里船。</td><td>mén bó Dōngwú wàn lǐ chuán.</td></tr>
</table>

（3）Answer the questions according to the passage.

海 南 岛

　　海南岛是中国第二大岛，也是中国最小的省，陆地面积３万４千平方公里。它有热带、亚热带的气候，四季如春，空气质量很好，年平均气温是２２到２５度。海南人大多数是汉族，也有其他民族的，像回族、苗族。这里是中国著名的旅游胜地，有蓝天、有阳光、有大海、有沙滩，是"回到大自然的好地方"，是"没有污染的岛"。每年的冬季，都有很多国内和国外的游客来到海南旅游和休息。

生词　New Word

沙滩　　　　shātān　　　　N　　　sandy beach

问题　Questions

① 海南岛是中国第几大岛？

　　　海南岛是中国第二大鸟。

② 海南岛的陆地面积是多少？

　　　三万四千平方公里

③ 海南省是中国比较大的省吗？

　　　不是，海南省是中国最小的省。

④ 海南岛的气候怎么样?

⑤ 除了汉族, 海南省还有什么民族?

21 用下列词语描述一个你所知道的国家或城市的气候（至少用8个）。
Describe the climate of a city or country you know with at least 8 words and phrases from the following list.

热带　寒带　气候　气温　天气　季节　一……就……　热起来

冷起来　下雪　下雨　刮风　最好　旅游　凉快　各　喜欢　锻炼

波士顿一年有春、夏、秋、冬四个季节。

22 写一篇小短文, 介绍一下你们国家的一种风俗。
Write a short essay to describe one of the customs in your country.

谁来买单
Who will pay the bill?

听说练习 Listening and Speaking Exercises

1 发音练习。
Pronunciation drills.

Read the following words or phrases aloud, paying special attention to the pronunciation of "ou, uo, iang, ao, an, uan".

ou——下周的聚会　我们一起走吧　有人说　肉丝炒竹笋
　　都是你的错

uo——中国朋友　你吃得太多了　请坐好　说笑话　吃火锅

iang——我想请大家吃饭　抢着买单　讲一个故事　涮羊肉
　　　　两位新疆姑娘

ao——好朋友　这个菜味道好极了　少说几句话　请稍等
　　烤全羊

an——米饭　西餐厅　买单　我们班　半个小时　一盘炒竹笋
　　慢慢地还债

uan——饭馆　去图书馆　吃完晚饭　玩儿得高兴　向银行贷款

2 听问题，根据课文内容圈出正确的答案。
Listen to each question and circle the correct answer according to the texts.

11
2~7

① A. 力波　　　　B. 小云　　　　C. 宋华　　　　D.林娜

② A. 力波　　　　B.小云　　　　C. 宋华　　　　D. 林娜

③ A. 上海　　　　B. 西安　　　　C. 北京　　　　D.内蒙

④ A. 14　　　　　B. 15　　　　　C.16　　　　　D. 17

⑤ A. 马大为　　　B.陈老师　　　C. 宋华　　　　D. 丁力波

3 听对话，并判断正误。
Listen to the following dialogue and decide whether the statements are true (T) or false (F).

① 男的和女的在吃饭。 (T)

② 今天是女的买单。 (F)

③ 男的想吃四川菜。 (F)

④ 女的不喜欢四川菜。 (F)

⑤ 女的觉得今天的菜味道不好，所以只吃了一点儿。 (F)

4 听句子，并填空。
Listen and fill in the blanks.

① 今天吃饭张老师_____买单_____。

② 这件事_____由_____学校决定。

③ 我给大家讲一个_____笑话_____。

④ 你吃饱了吗？再_____添_____一点儿米饭吧。

⑤ 中国人很_____尊敬_____老师。

5 听句子，写拼音。
Listen and write the sentences in *pinyin*.

① _____

② _____

③ _____

④ _____

⑤ _____

6 听句子，写汉字。
Listen and write the characters.

① 这个餐厅的菜味道很好。

② 我去过一次上海。

③ 你说完了，我接着说。

④ 汉字越写越好了。

⑤ 我们是按中国人的习惯做的。

7 角色扮演。
Role-play.

Listen to and imitate the dialogue together with your partner. Try to get the meaning of the dialogue with the help of your friends, teachers or dictionaries.

8 文化体验。
Culture experience.

① 你想去中国餐厅吃饭，问问你的中国朋友中国菜的名字，然后约你的朋友一起去。

② 去一家中国餐馆点几个地道的中国菜，谈谈你吃过后的感觉。然后跟餐馆里做菜的师傅聊一聊，多了解一些关于中国的饮食文化，并介绍给你的朋友。

9 读下面的菜单，并和你的同伴编一个对话，假设你正在一个餐馆点菜或付账。
Read the following menu and make up a dialogue with your partner, supposing you are ordering dishes or paying the bill in a restaurant.

上海冷盆及汤羹	人民币（元）
xián dàn huáng zhēng niàng yóu yú 咸 蛋 黄 蒸 酿 鱿 鱼	58
gǎng shì jiàng shāo pí pa yā 港 式 酱 烧 琵 琶 鸭	58
mì zhī tàn shāo zhū jǐng ròu 蜜 汁 碳 烧 猪 颈 肉	68
bái jiǔ piàn xiāng zhū tí ròu 白 酒 片 香 猪 蹄 肉	38
yáo zhù yú dǔ hóu gū tāng 瑶 柱 鱼 肚 猴 菇 汤	58

家禽及肉类	人民币（元）
巧手北京片皮鸭 qiǎo shǒu běi jīng piàn pí yā	180/220
罗汉上素焗乳鸽 luó hàn shàng sù jú rǔ gē	68
陈皮蒸鲜牛肉饼 chén pí zhēng xiān niú ròu bǐng	58
咸鱼蒸五花腩片 xián yú zhēng wǔ huā nǎn piàn	58
金腿花菇玉树鸡 jīn tuǐ huā gū yù shù jī	88

配菜	
竹笙鼎湖上素斋 zhú shēng dǐng hú shàng sù zhāi	78
四季时令鲜蔬菜 sì jì shí lìng xiān shū cài	38
虾酱驿站豆腐煲 xiā jiàng yì zhàn dòu fu bāo	58
鸡虾粒福建烧饭 jī xiā lì fú jiàn shāo fàn	70
雪菜火鸭丝米粉 xuě cài huǒ yā sī mǐ fěn	58

厨师精选	
特色木瓜炖鱼翅 tè sè mù guā dùn yú chì	395
翡翠三头鲜鲍鱼 fěi cuì sān tóu xiān bào yú	288

读写练习　Reading and Writing Exercises

1 在空格里写汉字，注意汉字的部件。

Write the characters in the blanks, paying attention to the character components.

qiǎng	扌＋仓	抢					
zhàng	贝＋长	账					
zhì	牛＋冂＋刂	制					
gǎn	木＋敢	橄					
lǎn	木＋览	榄					
tái	扌＋台	抬					
gē	哥＋欠	歌					
jìng	苟＋攵	敬					
jiāng	弓＋丬＋一＋田＋一＋田＋一	疆					

2 为下列每组词语标注拼音，并译成英文。猜一猜没学过的词语的意思，并通过朋友、老师或词典来确认。

Mark *pinyin* for the following groups of words and phrases and then translate them into English. Try to guess the meanings of the words and phrases you haven't learned and then confirm them with the help of your friends, teachers or dictionaries.

（1）餐厅　客厅　门厅　舞厅

_____

_____

（2）账单　菜单　节目单

_____

_____

（3）球场　菜场　操场　运动场

_____

_____

（4）橄榄球　篮球　足球　排球　乒乓球　羽毛球　网球

_____

_____

（5）敬酒　敬茶　敬烟

_____

_____

（6）照相机　办公室　借书证　通知单　服务员　出租车　展览馆

　　图书馆　美术馆　博物馆　园艺师　科学家　植物园　中秋节

　　外交官　橄榄球　太极剑　电影院　兵马俑　羽绒服　建国门

　　音乐会　汉语课　火车站　外国人　葡萄酒　君子兰　明信片

　　人民币　高科技　小意思　小学生　小汽车　小时候　副作用

　　亚热带　北温带　内蒙古　商品经济　中华民族　汉语词典

　　公共汽车　古典音乐　现代京剧

_____

_____

_____

3　根据所给拼音，把第一行和第二行的汉字连线组成词。

Match each of the following characters in the first line with that in the second to make a word according to the *pinyin* provided. Draw a line to connect the two.

wǎnfàn　　cāntīng　　fùzhàng　　qǐngkè　　xiàohua　　gǎnlǎn

qiǎng qiú　　tái jǔ　　míngē　　zūnjìng　　Měngzú　　Xīnjiāng

餐　晚　笑　请　付　橄　抬　抢　民　尊　新　蒙

账　厅　饭　话　客　举　榄　球　敬　族　歌　疆

4 选用正确的汉字填空。

Fill in the blanks with the correct characters.

（1）明天上午＿＿考＿＿口语。

今天晚上吃＿＿烤＿＿牛肉。

（靠 烤 考）

（2）我给你们讲个笑＿＿话＿＿。

她们在一起生＿＿活＿＿。

（活 括 话）

（3）那是蒙族＿＿姑＿＿娘。

内蒙是她们的＿＿故＿＿乡。

（故 沽 姑）

（4）他们班＿＿跟＿＿陈老师一起去新疆旅游。

她去＿＿银＿＿行还贷款。

（很 跟 银）

5 根据所给拼音，把括号里的汉字组成句子。

Organize the characters in the parentheses into Chinese sentences according to the *pinyin* given.

（1）Sì wèi gūniang yòu jiēzhe chàng xiàqu.

（姑娘四位下去又唱接着）

_____

（2）Tóngxuémen qù nǎ jiā dōu xíng.

（去哪家同学们行都）

_____

（3）Jīntiān shéi mǎidān dōu xíng.

（买单今天都行谁）

_____

（4）Wǒ shénme dōu xiǎng chī.

（都我想什么吃）

_____

（5）Duìmiàn de nà jǐ wèi qiǎng de bǐ wǒmen hái rènao ne.

（那对面的几位还热闹抢得比我们呢）

_____

（6）Yóu wǒmen zhè sì wèi gūniang xiàng nǐmen jìng jiǔ.

（向你们由姑娘敬酒这我们四位）

_____

6 根据拼音填汉字。

Fill in the blanks with the correct characters according to the *pinyin*.

上星期六，我们班的同学和陈老师一起去内 měng **蒙** 草原旅游。我们一共去了 16 个人。在草原，我们按蒙族的习惯吃了 kǎo **烤** 全羊。我们一坐好，就有两位蒙族姑娘 tái **抬** 出烤全羊来，另外两位蒙族姑娘唱着蒙族民歌。陈老师的岁数最大，所以四位姑娘 shǒu **首** 先向陈老师 jìng **敬** 酒，rán **然** 后请陈老师吃第一块羊肉。jiē **接** 着，四位姑娘给我们每一个人敬酒，敬羊肉。我们也唱起来，越唱越高兴。那个晚上我们都过得很 yú **愉** 快。

7 猜字谜。

Character riddle.

再会。

（打一个汉字 The key is a character.）

（Key to the riddle in Lesson 36：夫、季）

8 用合适的动词填空。

Fill in the blanks with proper verbs.

（1）我 **跟** 我的同学一起旅行。

（2）上课的时候同学们 **按** 着回答老师的问题。

（3）他不 **懂** 你的意思。

（4）让我们 **举** 起酒杯一起干杯。

（5）给你 **添** 麻烦了，真对不起。

9 选择正确的答案。

Choose the correct answers.

（1）火车票_____力波去买。

　　A. 按　　　　　B. 把　　　　　C. 由　　　　　D. 才

（2）你说得很好，请说_____。

　　A. 起来　　　　B. 下去　　　　C. 出来　　　　D. 上来

（3）他刚开始学习汉语，_____也不懂。

　　A. 谁　　　　　B. 哪儿　　　　C. 怎么样　　　D. 什么

（4）我每天晚上 11 点睡觉，他睡得_____我还晚。

　　A. 比　　　　　B. 又　　　　　C. 连　　　　　D. 再

（5）他越着急_____说不出话。

　　A. 就　　　　　B. 还　　　　　C. 越　　　　　D. 才

10 连接 I 和 II 两部分的词语，组成句子。

Make sentences by matching the words and phrases in Column I with those in Column II. Draw a line to connect each pair.

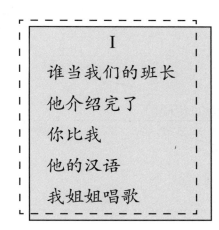

| I |
| 谁当我们的班长 |
| 他介绍完了 |
| 你比我 |
| 他的汉语 |
| 我姐姐唱歌 |

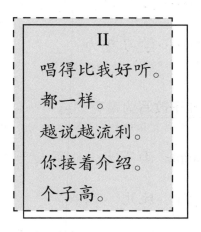

| II |
| 唱得比我好听。 |
| 都一样。 |
| 越说越流利。 |
| 你接着介绍。 |
| 个子高。 |

11 用所给词语组成句子。

Make sentences with the words and phrases given.

For example: 说　好　他　得　汉语　很 → 他汉语说得很好。

（1）下　买　我们　再　吧　回

　　→ _____

（2）也　怎么　明白　不　我

　　→ ＿＿＿＿＿＿＿＿＿＿＿＿＿＿＿＿＿

（3）尊敬　的　最　是　受人　张老师

　　→ ＿＿＿＿＿＿＿＿＿＿＿＿＿＿＿＿＿

（4）跳舞　他　我　比　跳　差　得

　　→ ＿＿＿＿＿＿＿＿＿＿＿＿＿＿＿＿＿

（5）快　越　那个　说　人　越

　　→ ＿＿＿＿＿＿＿＿＿＿＿＿＿＿＿＿＿

12 用所给词语造句。
Make sentences with the words and phrases given.

（1）比……唱得好：＿＿＿＿＿＿＿＿＿＿＿＿＿＿＿＿＿

（2）比……说得流利：＿＿＿＿＿＿＿＿＿＿＿＿＿＿＿

（3）比……懂得多：＿＿＿＿＿＿＿＿＿＿＿＿＿＿＿＿

（4）比……天气热：＿＿＿＿＿＿＿＿＿＿＿＿＿＿＿＿

（5）比……学习努力：＿＿＿＿＿＿＿＿＿＿＿＿＿＿＿

13 把下列句子改写为带有"越……越……"结构的句子。
Change the following sentences into sentences with the structure "越……越……".

For example: 雨下大 → 雨越下越大了。

（1）我们　玩儿　高兴 → 我们越玩儿越高兴了。

（2）他　走　快 → 他越走越快了。

（3）老爷爷　活　年轻 → 老爷爷越活越年轻了。

（4）杰克　汉语　学　好 → 杰克越学汉语越好了。

（5）人　多　有意思 → 人越多越有意思。

14 判断下列句子的语法是否正确。

Decide whether the following statements are grammatically correct (✓) or wrong (×).

（1）把账单给我，由我买单。　　　　　　　　　（　　　）

（2）吃完饭，大家抢付钱。　　　　　　　　　　（　　　）

（3）南方比北方空气好。　　　　　　　　　　　（　　　）

（4）中国音乐很好听，我们越听越来越喜欢。　　（　　　）

（5）我们什么都不怕。　　　　　　　　　　　　（　　　）

15 根据本课"阅读与复述"中的短文内容判断正误。

Decide whether the following statements are true (T) or false (F) according to the passage in "Reading Comprehension and Paraphrasing" in this lesson.

（1）巧云在上海的一个中国人家里当保姆。　　　（　　　）

（2）巧云一点儿英语也不会说。　　　　　　　　（　　　）

（3）主人不知道竹笋是什么，所以问巧云。　　　（　　　）

（4）竹笋太多不能长出好竹子。　　　　　　　　（　　　）

（5）最后巧云很清楚地回答了主人的问题，主人很满意。　（　　　）

16 回答问题。

Answer the following questions.

（1）你吃过中国菜吗？你喜欢中国菜吗？介绍一个你最喜欢吃的中国菜。

我吃过中国菜。我很喜欢中国菜，最喜吃北京烤鸭。北京烤鸭又咸又脆脆，特别好吃！

（2）你知道中国人和朋友一起吃饭时有些什么习惯吗？中国人的这些习惯和你们国家的习惯一样吗？说说一样的地方和不一样的地方。

中国人和朋友一起吃饭时会抢着买单。在新加坡，人们也会这样做，但是不管说清楚由谁请客，大家还会抢着买单。

（3）你会做菜吗？说说你做得最好的菜是什么。

我会做菜，做得最好的菜是饺子。

（4）你觉得中国菜和你们国家的菜有什么不一样？

我觉得中国菜比新加坡菜更辣。

17 读短文，并完成下列练习。

Read the passages and do the following exercises.

（1）Translate the following words according to the passage.

怎样做宫保鸡丁（gōngbǎo jīdīng）

宫保鸡丁是比较受欢迎的中国菜之一。怎样做宫保鸡丁呢？

A. 准备原料（yuánliào）：

　　a. 主料：鸡肉 300 克。

　　b. 配料：香花生仁儿（huāshēngrénr）100 克。

　　c. 调料（tiáoliào）：葱（cōng）白丁、姜（jiāng）片、蒜（suàn）片、植物油（yóu）、汤、干辣椒（làjiāo）、花椒（huājiāo）、酱油（jiàngyóu）、白糖、料酒（liàojiǔ）、醋（cù）、水淀粉。

B. 做法：

　　a. 把鸡肉洗干净，切成 2 厘米大小的鸡丁，放在碗里加酱油、料酒、水淀粉。另外用一个碗，把酱油、白糖、料酒、醋和水淀粉用汤做成汁。

　　b. 把炒（chǎo）锅放在大火上，放油，烧到五六成热，然后把干辣椒和花椒炒一下，把鸡丁放到锅里炒散，加上葱、姜、蒜跟鸡丁炒匀，再把调好的汁倒进去，最后加花生仁，翻炒几下赶快起锅。

这样，宫保鸡丁就做好了。我先尝一尝，"啊！味道好极了。"

① 宫保鸡丁 _____	⑧ 油 _____
② 原料 _____	⑨ 辣椒 _____
③ 花生仁儿 _____	⑩ 花椒 _____
花生 _____	⑪ 酱油 _____
④ 调料 _____	⑫ 料酒 _____
⑤ 葱 _____	⑬ 醋 _____
⑥ 姜 _____	⑭ 炒 _____
⑦ 蒜 _____	

（2）Try to read and recite the following poem by Li Shen.

悯 农　　　　　　　Mǐn Nóng

〔唐〕李绅　　　　　　　[Táng] Lǐ Shēn

锄禾日当午，　　　　　Chú hé rì dāng wǔ,

汗滴禾下土。　　　　　hàn dī hé xià tǔ.

谁知盘中餐，　　　　　Shéi zhī pán zhōng cān,

粒粒皆辛苦。　　　　　lì lì jiē xīnkǔ.

（3）Read the passage and try to retell the story.

东 坡 肉

宋代大文学家苏东坡，因为得罪了皇帝，就被派到湖北的黄州做了一个小官。到了黄州以后，他心里很不愉快，除了看书、作诗以外，就是自己做菜喝酒。黄州这个地方猪肉很便宜，他就经常自己炖肉吃。为了不影响看书写文章，他不用大火炖，只用小火。这样就不用坐在旁边，等到闻到肉香味儿再去看一看就行。他用小火炖的猪肉味道很好。他很欣赏自己做的这道菜，就写了一首诗，题目是《食猪肉》：

黄州好猪肉，

价钱如粪土。

富者不肯吃，

贫者不解煮。

慢着火，少着水，火候足时它自美。

每日起来打一碗，饱得自家君莫管。

"食"就是"吃"的意思。这首《食猪肉》诗在老百姓中间流传开了，老百姓按苏东坡的方法炖猪肉，都说很好吃，就把这种炖肉叫做"东坡肉"。现在，很多中国饭馆都有这道名菜。

生词　**New Words**

1　得罪　dézuì　V　offend

2　猪肉　zhūròu　N　pork

3　炖　dùn　V　braize

18　根据本课课文完成此段落。
Complete the passage according to the texts of this lesson.

今天是星期六，我们班的同学和陈老师一起去内蒙草原旅行。我们按蒙族的习惯吃了烤全羊……

19　用下列词语描述一次与你的朋友或同学一起吃的晚餐或午餐（至少用8个）。
Describe one dinner or lunch you had with your friends or classmates with at least 8 words and phrases from the following list.

约　餐厅　买单　请客　AA制　抢着付钱　账单　烤　干杯　敬酒
首先　然后　接着　越……越……　愉快

20　写一篇小短文，介绍一下你是怎么做出最好吃的菜的。
Write a short essay to introduce how to cook your favourite dish.

你听，他叫我"太太"

Listen, he called me "Madam".

第三十八课

Lesson 38

（复习　Review）

听说练习　Listening and Speaking Exercises

1 发音练习。
Pronunciation drills.

Read the following words or phrases aloud, paying special attention to the pronunciation of "d, t, j, q, f, k".

d ——小燕子的朋友　等一等　不知道　决定　走马灯　对联
唐代大诗人

t ——吃喜糖　胡同　真让人头疼　他们几个人　特点
叫岳母太太

j ——表姐　杰克　相爱结婚　出嫁　登记　举行婚礼　坐花轿
动脑筋

q ——有趣的故事　墙上挂着一幅画　亲戚朋友　别生气　庆祝
旗子

f ——幸福快乐　政府　父母　坐飞机来到北京　你疯了吗
一封信

k ——请客人吃饭　开口说话　读一段课文　可是　别客气
艰苦朴素

12
2~7

2 听问题，根据课文内容圈出正确的答案。
Listen to each question and circle the correct answer according to the texts.

① A. 小燕子　　　B. 王小云　　　C. 林娜　　　D. 玉兰

② A. 去政府登记　B. 请客　　　　C. 旅行　　　D. 拿结婚证

③ A. 教堂　　　　B. 新娘的家　　C. 新郎的家　　D. 公园里

④ A. 旅行　　　　　　　　Ⓑ.看望玉兰的父母

　　C. 学习汉语　　　　　　D. 工作

⑤ A. 红色的一个喜字　　　　B. 白色的一个喜字

　　Ⓒ.红双喜字　　　　　　D. 白双喜字

3 听对话，并判断正误。

Listen to the following dialogue and decide whether the statements are true (T) or false (F).

① 男的和女的今天下午结婚。　　　　　（ T ）

② 他们两个人都很高兴。　　　　　　　（ T ）

③ 他们上午去政府拿结婚证。　　　　　（ F ）

④ 晚上在他们的家请客人吃饭。　　　　（ F ）

⑤ 女的不让男的喝太多酒。　　　　　　（ T ）

4 听句子，并填空。

Listen and fill in the blanks.

① 昨天玉兰___嫁___给了杰克。

② 现在才 10 点，不___算___晚。

③ 他住在我家的旁边，是我的___邻居___。

④ 她不懂我们的___规矩___，请不要生气。

⑤ 我妻子的爸爸是我的___岳父___。

5 听句子，写拼音。

Listen and write the sentences in *pinyin*.

① _____

② _____

③ _____

④ _____

⑤ _____

6 听句子，写汉字。
Listen and write the characters.

① 我的表姐很漂亮。

② 我忙得很，不能出去玩儿。

③ 我已经好几个星期没看见他了。

④ 说到旅行，我只去过上海。

⑤ 这次考试不算难。

7 角色扮演。
Role-play.

Listen to and imitate the dialogue together with your partner. Try to get the meaning of the dialogue with the help of your friends, teachers or dictionaries.

8 文化体验。
Culture experience.

去参加一场中国人的婚礼，或者向你的中国朋友了解一些中国婚礼的情况。比较一下中国的婚礼和你们国家的婚礼有哪些相同点和不同点，然后和你的同学和朋友一起说说你们的看法。

9 看下面展示中国传统婚礼仪式情景的图片，并和你的同伴描述、讨论。
Look at the pictures which show the scenes of a traditional wedding ceremony in China. Describe the pictures and discuss them with your partner.

读写练习　Reading and Writing Exercises

1 在空格里写汉字，注意汉字的部件。

Write the characters in the blanks, paying attention to the character components.

jià	女＋家	嫁							
xìng	土＋丷＋干	幸							
fú	礻＋畐	福							
zhèng	正＋攵	政							
tiē	贝＋占	贴							
pī	扌＋比	批							
píng	讠＋平	评							
jiào	车＋乔	轿							
yàn	宀＋日＋女	宴							
xí	广＋艹＋巾	席							
táng	屮＋口＋土	堂							
qī	戊＋上＋小	戚							
yuè	丘＋山	岳							
jié	木＋灬	杰							
kè	十＋兄	克							
liáng	曰＋一＋里	量							
liǎ	亻＋两	俩							

jīn	竹＋月＋力	筋								
guī	夫＋见	规								
jǔ	矢＋巨	矩								
jū	尸＋古	居								
hú	古＋月	胡								
yé	父＋卩	爷								
xī	宀＋木＋心	悉								
shuāng	又＋又	双								

2 为下列词语标注拼音，并译成英文。

Mark *pinyin* for the following words and phrases and then translate them into English.

（1）爱好　很好

_____

_____

（2）还书　还有

_____

_____

（3）便宜　方便

_____

_____

（4）得去　得到

_____

_____

（5）教跳舞　教练

_____

_____

（6）觉得　睡觉

_____

_____

（7）空气　有空儿

_____

_____

（8）快乐　音乐

_____

_____

（9）旅行　银行

_____

_____

（10）两种　种树

_____

_____

（11）重要　万重山

_____

_____

3 为下列每组词语标注拼音，并译成英文。猜一猜没学过的词语的意思，并通过朋友、老师或词典来确认。

Mark *pinyin* for the following groups of words and phrases and then translate them into English. Try to guess the meanings of the words and phrases you haven't learned and then confirm them with the help of your friends, teachers or dictionaries.

（1）表姐　表弟　表哥　表妹

_____

_____

（2）客人　客房　客厅　客车　客机　客气

_____

_____

（3）教堂　礼堂　课堂　食堂　澡堂

_____

_____

（4）喜糖　白糖　红塘　冰糖　水果糖

_____

_____

4　根据所给拼音，把第一行和第二行的汉字连线组成词。

Match each of the following characters in the first line with that in the second to make a word according to the *pinyin* provided. Draw a line to connect the two.

xìngfú　　zhèngfǔ　　pīpíng　　yànxí　　qīnqi　　jiàotáng

shāngliang　　nǎojīn　　guīju　　línjū　　juédìng　　chúshī

批　亲　政　幸　宴　厨　教　商　脑　邻　规　决

府　席　评　戚　福　居　筋　矩　定　量　师　堂

5　选用正确的汉字填空。

Fill in the blanks with the correct characters.

（1）他们在教__堂__举行婚礼。

学生__常__去图书馆。

（堂　尝　常）

（2）你们__决__定去哪儿？

她还你两百__块__钱。

（块　快　决）

（3）这间卧室有12__平__方米。

大家都批__评__他。

（苹　平　评）

（4）你们＿＿俩＿＿一起去。

　　　她们＿＿两＿＿个都不去。

　　　（辆　俩　两）

（5）他不懂我们的规＿矩＿。

　　　你＿知＿道他们在哪儿结婚吗？

　　　（和　矩　知）

6 根据所给拼音，把括号里的汉字组成句子。

Organize the characters in the parentheses into Chinese sentences according to the *pinyin* given.

（1）Zhè hái bú suàn shì qǐngkè.

　　（算是这不还请客）

　　＿＿＿＿＿＿＿＿＿＿＿＿＿＿＿＿＿

（2）Shuōdào yànxí, wǒmen zhǐ qǐng qīnqi péngyou zài yìqǐ hē jiǔ.

　　（宴席说到我们朋友在喝酒一起只请亲戚）

　　＿＿＿＿＿＿＿＿＿＿＿＿＿＿＿＿＿

（3）Wǒmen yǐjīng jiéhūn hǎojǐ ge yuè le.

　　（已经我们好几个月结婚了）

　　＿＿＿＿＿＿＿＿＿＿＿＿＿＿＿＿＿

（4）Tāmen shéi yě bú rènshi shéi.

　　（谁也他们不谁认识）

　　＿＿＿＿＿＿＿＿＿＿＿＿＿＿＿＿＿

（5）Nǐmen zhèyàng zuò hǎo de hěn.

　　（你们做好这样得很）

　　＿＿＿＿＿＿＿＿＿＿＿＿＿＿＿＿＿

7 根据拼音填汉字。

Fill in the blanks with the correct characters according to the *pinyin*.

　　杰克和玉兰旅行结 hūn＿婚＿以后，告诉了大为。大为祝他们新婚幸 fú＿福＿。杰克高兴地请大为吃喜 táng＿糖＿，大为还要他们按中国人的习 guàn 惯 请客吃饭。杰克不知道该怎么做。第二天，杰克和玉兰去农村看望玉兰的父母。两位老人正在 shāng 商 量摆 yàn 宴 席的事。因为这是农村的 guī 规 矩。如果不请客，亲 qi 戚 朋友会说他们。玉兰认为不用请客了。可是两位老人不同 yì 意 ，最后他们决定 yóu 由 他们来办。

8 猜字谜。
Character riddle.

池中没有水，地上没有土，他家没有人。

（打一个汉字 The key is a character.）

（Key to the riddle in Lesson 37：观）

9 用合适的动词填空。
Fill in the blanks with proper verbs.

（1）她 嫁 给了一位厨师，生活很幸福。

（2）明天这里要 举行 一场很大的活动。

（3）大为在墙上 贴 红双喜字。

（4）小燕子没有 生 我的气。

（5）妈妈 批评 孩子不认真学习。

10 选择正确的答案。
Choose the correct answers.

（1）这次_____是你对了。

　　A.看　　　(B.)算　　　　C.连　　　　D.太

（2）我们已经等了他_____几个小时了。

　　A.很　　　B.太　　　　(C.)好　　　　D.多

（3）这个足球场坐得_____两万人。

　　A.上　　　(B.)下去　　　C.起　　　　D.下

（4）我们以后不_____来这里了。

　　A.又　　　B.还　　　　C.就　　　　(D.)再

（5）他那么年轻，_____像是四十岁的人？

A. 谁　　　　　B. 什么　　　　C. 哪儿　　　　D. 怎么样

11 连接Ⅰ和Ⅱ两部分的词语，组成句子。

Make sentences by matching the words and phrases in Column I with those in Column II. Draw a line to connect each pair.

I	II
你想去哪儿	说得不太流利。
他说汉语	我也得去。
今天的天气比昨天	不是这个意思。
说什么	就去哪儿。
我说的	冷多了。

12 用所给词语组成句子。

Make sentences with the words and phrases given.

For example: 说　好　他　得　汉语　很　→ 他汉语说得很好。

（1）得　我　口　可是　开　了　怎么

　　→ _____

（2）玉兰　嫁　决定　杰克　给　已经　了

　　→ _____

（3）脑筋　我　是　爸爸　老

　　→ _____

（4）不　她　吃　什么　想　也

　　→ _____

（5）已经　好几　结婚　个　他们　了　月

　　→ _____

13 用所给词语造句。

Make sentences with the words and phrases given.

（1）说到……： _____

（2）不算很好： _____

（3）什么……什么……： _____

（4）又……又……： _____

（5）……得很： _____

14 把下列句子改写为带有疑问代词的结构。

Change the following sentences into the ones with the interrogative pronouns given.

For example: 他所有的东西都不想吃。（什么）→ 他什么也不想吃。

（1）这个电影很有意思，大家都喜欢看。（谁）

　→ 这个电影很有意思，谁都喜欢看。

（2）他没有钱，没出去旅行过。（哪儿）

　→ 他没有钱，哪儿也没去旅行过。

（3）我好像在一个地方看见过他。（哪儿）

　→ 我好像在哪儿看见过他。

（4）你别问他了，他一点儿也不知道。（什么）

　→ 你别问他了，他什么也不知道。

（5）今天早上他身体不好，一点儿东西也没吃。（什么）

　→ 今天早上他身体不好，什么也没吃。

15 把下列句子译成英文。

Translate the following sentences into English.

（1）我老了，今年78岁了。

　_____

（2）你爸爸是老脑筋，和我们想的不一样。

　_____

（3）说到旅行的事儿，你们决定去还是不去？

_____

（4）你别说他了，他已经知道错了。

_____

（5）他住的地方很好找。

_____

（6）我问了好几个人，才找到那个书店。

_____

16 判断下列句子的语法是否正确。

Decide whether the following statements are grammatically correct (✓) or wrong (×).

（1）玉兰嫁杰克了。　　　　　　　　　　　（　　　）

（2）北京的天气热得很。　　　　　　　　　（　　　）

（3）他们俩个是我的好朋友。　　　　　　　（　　　）

（4）我看那本书完了。　　　　　　　　　　（　　　）

（5）这些生词你记得住记得不住？　　　　　（　　　）

17 根据本课"阅读与复述"中的短文内容判断正误。

Decide whether the following statements are true (T) or false (F) according to the passage in "Reading Comprehension and Paraphrasing" in this lesson.

（1）中国人在过生日的时候，常常在门上贴一个"囍"字。（　　　）

（2）王安石是清代文学家。　　　　　　　　　（　　　）

（3）出上联的是一位小姐。　　　　　　　　　（　　　）

（4）王安石没有和那位小姐结婚。　　　　　　（　　　）

（5）王安石考试考得很好。　　　　　　　　　（　　　）

18 回答问题。

Answer the following questions.

（1）在你们国家，人们结婚有哪些习惯？
在新加坡，人们结婚 会 通常都摆宴席，请很多客人来。
的时候

（2）你参加过中国人的婚礼吗？如果参加过，介绍一下那次婚礼的情况。
我从来没参加过中国人的婚礼。

（3）除了课文中介绍的中国人结婚的习惯，你还知道别的吗？

我知道除了新娘以外，人们都不应该穿着红衣服。

（4）在你的国家，如果你的朋友要结婚，你会送什么礼物？

我会送新衣服。

19 读短文，并完成下列练习。

Read the passages and do the following exercises.

（1）Translate the following words according to the passage.

他们真的恋爱（liàn'ài）了

拉法是一位法国姑娘，找了一位中国小伙子做丈夫。

拉法在语言学院学习汉语。一天傍晚（bàngwǎn），她在校园的小路上散步，对面过来了几个中国小伙子。一个高个子的小伙子笑着对拉法说："嗨！你好，欢迎你来中国！"然后他们就笑着走了。

后来，拉法常在小路上见到他，每次都要互相打招呼（dǎ zhāohu）。拉法刚开始学汉语，小伙子既不会说法语，又不会说英语，他们俩就靠简单的汉语和手势（shǒushì）谈话。除了身体健康、个子高大以外，小伙子给拉法最深的印象（yìnxiàng）就是实在、热情。

拉法学习很忙，她常常吃方便面，不去留学生餐厅吃饭。有一天傍晚，拉法正在图书馆看书，小伙子捧（pěng）着一盒饺子，悄悄（qiāoqiāo）地把拉法叫到外边，要她吃晚饭。拉法被这个热情的小伙子感动了。她觉得他真不错。

一个周末，拉法和几个法国朋友去爬长城。因为衣服穿得太少，回来就感冒了。她头疼，发烧，不想吃东西，一直睡到第二天中午。这时，拉法听到有人在轻轻地敲宿舍门，她头很晕，爬起来去开门。她看见那个小伙子正捧着一碗热汤面站在门口。拉法好像见到亲人（qīnrén）一样，激动得哭了，她说："谢谢，请进！"

小伙子看拉法病得不轻，心里也很难过（nánguò）。他让拉法躺下休息，又是倒水，又是喂药，打着手势，劝（quàn）拉法吃了半碗热汤面，还陪着她去医院打针。拉法虽然头很晕，但心里很明白。她觉得自己愿意听他的话，已经爱上这个中国小伙子了。

后来，他们经常在一起，拉法的汉语水平提高得很快。他们互相了解得越来越多，感情也越来越深。他们真的恋爱了。

这小伙子叫李华，当时，他是语言学院的一个普通工人。他很善良（shànliáng），也很真诚，走到哪儿都有很多朋友。他第一次跟拉法打招呼，只是跟几个朋友打赌（dǎdǔ），要表示自己的勇气（yǒngqì）。后来他真的喜欢上了这个漂亮、热情的法国姑娘，所以他特别关心她的生活和学习。

有人问拉法："你为什么喜欢一个普通的中国工人？"拉法回答说："我不管小伙子做什么工作，有没有钱，我喜欢的是他的真诚和实在。一个对朋友那么真诚的人，一定是个值得相信的男人。"

后来，他们俩结婚了。小伙子跟拉法一起去了法国，听说，他们俩现在已经有两个孩子了，一家人生活得很幸福。

① 恋爱 _____　　⑧ 亲人 _____

② 傍晚 _____　　⑨ 难过 _____

③ 打招呼 _____　　⑩ 劝 _____

④ 手势 _____　　⑪ 善良 _____

⑤ 印象 _____　　⑫ 打赌 _____

⑥ 捧 _____　　⑬ 勇气 _____

⑦ 悄悄 _____

（2）Try to read and recite the following poem by Li Shangyin.

无 题	Wú Tí
［唐］李商隐	[Táng]　Lǐ Shāngyǐn
相见时难别亦难，	Xiāng jiàn shí nán bié yì nán,
东风无力百花残。	dōngfēng wú lì bǎi huā cán.
春蚕到死丝方尽，	Chūncán dào sǐ sī fāng jìn,
蜡炬成灰泪始干。	làjù chéng huī lèi shǐ gān.

（3）Complete the statements according to the passage.

拜天地

中国人举行婚礼，一定要三拜：一拜天地，二拜父母，三是夫妻对拜。"拜天地"的风俗中国古代就有，已经有好几千年的历史了。

传说，女娲造人的时候，开始只用泥土造了一个男孩子。一年一年地过去了，男孩子已经长成大人。他是一个很健康、很帅的小伙子，常常在月光下散步。他对月亮说："月亮啊，月亮！要是有一个女孩子，每天晚上像你一样陪着我散步，那该多好！"这时，月亮里走出一位老人，飞到了他的面前。老人笑着问小伙子："你刚才说什么？是不是想结婚了？我是管婚姻大事的老人。大家都叫我'月老'。你是不小了，该有妻子了。小伙子，别着急，这事儿我去给你想办法。"月老说完话，一转身就不见了。小伙子还以为自己在做梦呢。

月老真的找女娲去了，他把小伙子希望有一个女朋友的事儿跟她说了。女娲哈哈大笑，她说："我怎么把他的事儿忘了呢？谢谢月老提醒我。您等一等，我现在就给他造一个姑娘。"女娲一会儿就造好了一个美丽的姑娘。

月老带着姑娘去见那个年轻人，那个小伙子一见这位姑娘就很喜欢。

月老说："你们互相都还满意吧？要是你们同意，我现在就给你们举行婚礼。"他们俩都表示同意。月老说："好，你们站好，听我的。婚礼开始，新郎新娘一拜天地！"他们俩就拜天地。月老又说："二拜父母！"小伙子问月老："谁是我们的父母？"月老说："这事儿你们以后去问女娲吧。你们父母不在这儿，就拜我月老吧。"姑娘和小伙子都说："我们是该感谢您！"他们就拜了月老。月老高兴地说："祝你们俩生活幸福。第三，新郎新娘对拜！"小伙子和姑娘听了，就互相拜了一拜。

从此，举行婚礼要"拜天地"就流传下来了。现在中国农村举行婚礼还有这"三拜"。

生词　New Words

①	拜	bài	V	do obeisance
②	女娲	Nǚwā	PN	goddess who patched the holes in the sky with stone blocks (in Chinese mythology)
③	泥土	nítǔ	N	clay
④	转身	zhuǎnshēn	V	turn about
⑤	提醒	tíxǐng	V	remind, warn, call attention to
⑥	满意	mǎnyì	A	be pleased, be satisfied
⑦	同意	tóngyì	V	agree

①一拜＿＿＿＿＿＿＿＿＿＿。

②二拜＿＿＿＿＿＿＿＿＿＿。

③第三拜是＿＿＿＿＿＿＿＿＿＿＿＿。

④现在＿＿＿＿＿＿＿＿＿＿＿＿举行婚礼还有这三拜。

20 用下列词语描述一下中国人结婚的仪式和习俗（至少用8个）。
Describe the wedding ceremony and marriage custom in China with at least 8 words and phrases from the following list.

去政府登记　拿结婚证　喜糖　红双喜字　举行婚礼　请客

热闹得很　摆宴席　岳父　岳母　规矩　算

21 你的一个中国朋友准备结婚了，考虑一下要送给他／她的礼物，然后写一张贺卡给你的朋友，表达一下你最好的祝福及选择这一礼物的原因。
One of your Chinese friends is getting married. Think about a wedding gift you plan to give him / her. And then post a card to him / her to express your best wishes and the reason why you choose the specific gift.

（Key to the riddle in Lesson 38：也）